우리의 삶은 희노애락의 여행이자 오랜 여정입니다.

길 위에서 물들인 순간들, 나만의 길을 찾다.

저자 안영수·설민자

목 차

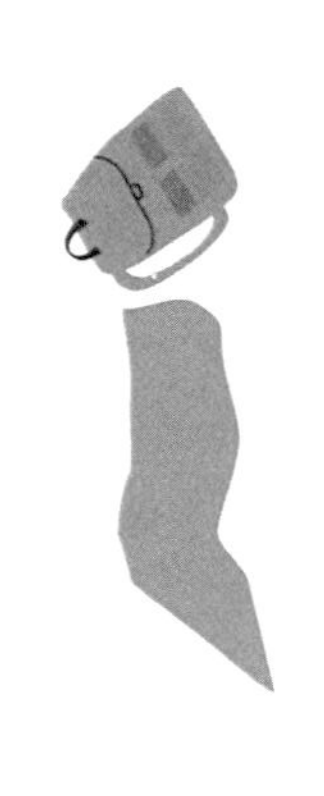

제 1 부

기억의 문을 열다 : 나의 삶을 품은 기록

저자 안영수

차 례

글을 쓰면서

행복한 일상이 처음부터 정해진 것이 아니라 어떻게 마음먹는가에서 시작되는 것 아닌가, 글은 누가 쓰는가 정해진 게 아니라 누구라도 쓸 수 있다.

지금 마음 밭에서 자고 있는 거 쉬고 있는 거 살아 뛰고 있는 거를 꺼내 글로 표현해서 눈으로 보고 싶은 거를 만들었습니다.
글을 쓰면서 나 중심으로 쓰고 편집하였습니다, 혹여나 글속에서 실명이나 실명에 가까운 표현과 초상에 대하여는 넓게 이해하여 주시면 감사하겠습니다,

마지막으로 서투런 글을 소중하고 아름다운 책으로 만들게 기회를 주신 HIVE사업단(고등직업교육사업)을 주관하고 지원해주신 경산시장님과 대경대학총장님 그리고 사업단 교수님 출판사 가족들께 감사의 말을 전합니다.

2024년 2월
無漏 安 永 壽

1부 부모님

천덕꾸러기를 반석에 앉힌 어머님

온 세상이 동녘에 해 떠 하늘 가운데 솟아오른 시간. 세상은 밝고도 밝은 시간. 축복의 시간, 축복의 땅. 모든 생명체들이 고개를 들고 화사한 봄 햇빛을 받아 아침·저녁이 다르고 하루가 다르게 만물이 왕성하게 성장하는 오월. 형들과 누나들은 어린이날 행사로 운동회에서 즐겁게 영차 영차 청군 이겨라! 백군 이겨라! 오월은 푸르구나! 우리들의 세상이라고 즐겁게 어린이날 축제 운동회가 한창 무르익을 시간 때쯤…. 나는 봄기운이 최고 왕성한 날 최고 따뜻한 시간에 대명천지 최고의 기운을 받으면서 어머니의 배속에서 이 세상으로 왔다. 시골 평범한 농촌 가난한 농가 팔남매 일곱 번째인 나는 꿈과 꿈이 하염없이 바뀌고는 했다.

나의 아버님께서는 1921년 한말 유교 영향이 퇴색해 가던 시절 서당근방에 한번못가보고 일만하시다 일제강점기 해방 전 결혼하시어 젊을 때 돈 번다고 어머님 혼자 두고 일본까지 갔다. 일원 한 푼 못 벌고 고생 모질게 하시다 해방 전 귀국하셨다 하셨다. 평범한 일상도 잠시 6.25전쟁 통에는 아버지께서는 군수물자 수송이란 명칭으로 전쟁터로가 군수물자 보급 중 포로가 되어 북으로 끌려가던 중 신의주 어느 지역 어딘지도 모르는 곳에서 탈출해 낮에는 숨어있다 밤이면 남으로 남으로 이동 구사일생으로 살아 돌아오셨다 하셨다.

그때 끌려가던 중 인민군에게 빠른 걸음으로 따라오지 않는다고 소총 개머리판으로 전체 포로들에게 가슴을 수없이 쳤데 그 충격으로 평생을 가슴에 든 멍으로 고생하시면서 제대로 된 치료 한번 못 받으시고 사셨다.

나는 이런 격동기가 끝난 60년도에 가난한 가정에서 일곱째로 태어났으니 꿈이 하염없이 바뀔 수밖에 없었던 것은 당연한 일상이었다.

예전에는 그랬단다.

애는 자기 먹을 것은 갖고 태어난다고 장자 아니면 서당에 보내지 않는 것이 당연한 것이었던 시절을 살아오신 부모님세대. 어느 가정 없이 다 그런 시절이었을 때 그래도 남달리 인간은 글을 가르쳐야 한다는 어머님의 꿈은 막을 수가 없었던 것 같았다. 그 덕분에 그 어려운 가난에서 위로 누나 세 분은 중학교 문을 넘지 못하고 넷째인 장남 큰형은 억지로 중학교를 시켰다고 한다. 다섯째인 둘째형도 중학교 문을 넘지 못하셨다. 그 후 여섯째와 일곱째인 나 막내인 여동생까지 셋은 대처로 유학은 못 보내고 집에서 다닐 수 있는 이웃하고 있는 면지역 시골 중고등학교를 억지로 시키셨다. 그러니 팔남매는 대학문을 열지 못한 것이다 대학문을 여는 것은 꿈에도 생각할 수 없었다.

평소 어머님은 자식들은 손에 흙 안 묻히고 살게 해야 한다는 신념을 가끔 말하셨다. 강단 있으셨던 어머님 덕에 고등학교 졸업한 여섯째는 잠시 막걸리 공장 경리로 취직을 했다가 지역금융기관 공채에 합격하여 일반사원으로서는 최고 직위까지 승진하였고 나 또한 고등을 졸업한 후 조금은 방황했지만 공채를 거쳐 정부 녹을 먹으면서 기초자치단체에서는 일반직으로 오를 수 있는 데까지는 다 올라가 직장의 큰 꽃으로 손에 흙 안 묻히고 살게 한 것이 나에 어머님이시다.

강인한 성품의 어머님

난 철없는 어릴 적 어머님 마음을 많이 아프게 한걸. 철들어 알았다. 국민학교 1학년 때로 기억한다. 내가 태어난 시골 소재지 장날이고 일요일이었던 것 같다. 그렇기에 어머님을 따라 갔겠지. 그때 시장에는 어마어마하게 좋은 옷들이랑 갖가지 물건들이 점포마다 가득가득 걸려 있었고 한쪽 구석엔 풀빵이랑 오뎅을 굽고 팔고 하는걸 보았다.

또 한쪽 구석에는 나이 드신 할아버지 한분이 신발을 수선하고 계셨다. 구두, 운동화, 고무신 등 수선하지 아니하는 것이 없었다. 검정고무신수선은 순서를 기다려야 했다. 수선하는 시간이 많이 걸렸다. 신발을 닦고 갈고 고무조각을 붙여 땅바닥을 판 화덕에 신발사이즈에 맞는 틀에 끼워 구워야 하니까, 요즘은 명품신발 아니면 전부 구입 후 낡으면 폐기처분 하지만 그때 시골에서는 일부 잘사는 몇몇 집을 제외한 평범한 일반 사람들은 대부분이 흰 고무신은 외출용 검정고무신은 일상화이던 시절, 일상화인 검정고무신 밑바닥을 수선해 사용기간을 연장해야하는 어려운 시절이었던 것이 그때의 현실이었나 보다.

아니 이야기가 엉뚱한 곳으로 나가고 있네. 나에 마음도 아프고 어머님 마음도 아프게 한 사건은 그날 어머님께서 볼일 보시는 동안 풀방 굽는 포장점포 옆에서 눈과 코로만 시식하면서 고무신 수선해 굽는 고무냄새 나는 그 신발 수선집 옆에서 놀다 어머님이 가자하는데 그만 눈물만 흘렸다. 집에까지 오는 시간은 꽤나 멀다. 걸어서 30

분정도이다. 지금은 아무도 30분씩을 걸어서 오고 가는 사람이 없다. 그때는 가정 가까운 시장이 그곳이고 다음 시장은 1시간 거리였다. 그날 이후 어머니는 애 마음 아프게 한다는 걸 알고 시장에 데리고 가지 않으셨다. 물론 풀빵도 사주시지 않으셨다. 가끔 집에서 떡을 구워주셨는데 맛이 있긴 해도 그때 먹고 싶었던 그 빵이 아니었다.

나중에 철이 들고 어머님이 왜 그때 그 시간에 풀빵을 안 사주셨는지 알고 많이 괴로웠다 어머님은 얼마나 마음아파 하셨을까 나이 들어 고등학교를 졸업하고 대학 갈 거라고 낮에는 엎드려 있다 밤이면 동네 친구네 가서 막걸리 밤 세워먹고 새벽에 몰래 들어와 자고 할 때 난 어머니께서 모르시는 줄 알았는데 직장 잡아 발령받아 간다고 말씀드릴 때 알았다.

어머님께서는 "우짜노. 잘살지 못한 부모 만나, 하고 싶은 거 못하고 혼자 많이 앓았제. 먹고 싶은 거 한 번 못 싸주고 대학 가라 소리 한번 못한 게 널 마음에 걸려서... 그동안 고생했다 고맙다." 하시면서 못 다한 공부는 기회가 되면 언제든 할 수 있다 하면서 축하와 격려를 해주셨다.

1981년 아버님 회갑기념 설악산 여행
다녀오신 부모님

삶과 믿음

나의 어머님은 내 어릴 적부터 눈이 오나 비가 오나 새벽에 정화수 떠서 가장 큰 장독위에 올려놓고 어머님만의 기도 법으로 간절한 기도를 하시는걸 보면서 성장했다. 또 담장 넘어 옆집 아지미도 새벽이면 새벽별 보고 장독대 옆에서 두 손 모아 기도하고 새벽예배 참석하러 가는 것을 수시로 보며 살아왔다. 종교는 달라고 기도하는 시간이나 기도하는 방법은 비슷했다.

삶의 원천은 믿음에서 오는 것 삶을 살아오면서 부모님으로부터 물려받는 건강한 신체를 성장하면서 학습하여 자기를 멋지고 강하게 만들어가는 것은 오직 믿음에 있었다고 생각한다.

그러던 어느 날 내가 직장생활을 시작하니 어머님이 다니시던 사찰에 내 이름으로도 등불을 켜셨다는 거야. 사찰행사 있을 때마다 행사 있다고 다녀오시는 거야. 그날부터 사찰에 등록된 신자로 되었어. 어머님은 행사 때마다 가시지만 나는 1년에 한 번즘 어머님 모시고 간 게 다였어. 결혼하니 집사람을 데리고 가시는 거였어.

그러다 나의 직장에서 종교동아리가 발족되었는데 그 동아리에 몸을 담고 신행생활을 하게 되면서 교리를 배우고 믿음의 대한 개념을 새로 알게 된 거야. 몇 년간 지도 법사님의 법문을 들으면서 교리를 이해하고 믿음의 중요성을 배웠어.

지도 법사님은 몇 년이 지나자 이제 수계를 받을 시기가 된 것 같다 하시며 수계법회를 열고 동아리 회원 한 명 한 명에게 법명을 주셨어.

법명을 받으면서 진짜 신자가 된 것이다.

그 후 동아리 신행생활과 별개로 요즘 유행하는 명상수행을 그때 지도 법사님을 모시고 퇴근시간 후 주 3일씩 1년을 배웠어. 종교를 떠나 믿음이란 참 중요한 것이었다. 내가 나를 믿지 않으면 누가 나를 믿어주겠는가? 내가 사랑하지 않는데 누가 나를 사랑하겠나?를 배웠다.

시간이 지나 직장 종교동아리 회장이란 중책을 맞게 되니 더 큰 믿음의 확신을 배우게 되었다. 그때 나는 업무를 하면서 여러 종교의 성직자님을 만나고 했지만 직접 미사나 예배에 정식으로 참여 해볼 기회가 없었다. 중책을 맞은 그해 연말 처음으로 천주교 성탄절미사행사에 초청을 받아 정식으로 참석 처음부터 끝까지 보고 듣고 배웠다.

그날 난 종교에 대한 신념이 더 강해진 것이다. 평소 내가 배워온 불교 교리나 천주교 교리가 별반 다르지 않았다.

믿음은 마음을 안정되게 해준다는 확실한 신념을 갖게 해주었다.

어머님을 따라 불교신자가 된 집사람은 나의 직장동아리 활동에 10여년을 참석하다 어느 날 부터 교리를 배운다고 10여년을 불교대학에 다니고 있어 지금은 어머님과 똑같이 하고 있어. 아들 두 놈 결혼시켜 분가 시켜놓고 이제 너네들 이름으로도 등을 켰으니 그래 알아라 하면서 아들 며느리를 신자로 만드는 거야.

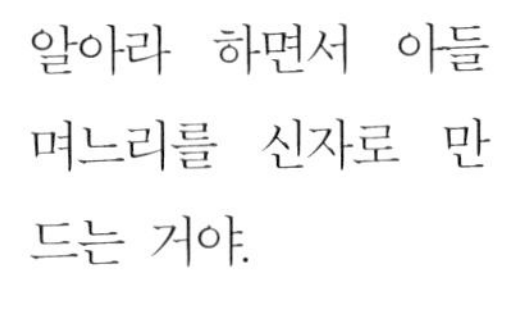

보 살 계 계 첩

성명 : 안 영 수 법명 : 無漏(무루)

위 불자(佛子)는 불기2547년(2003) 11월 15일 제1회 대한불교 조계종 경흥사에서 실시한 보살계를 수계하였으므로 이 계첩을 전합니다.

대한불교 조계종 경흥사

경산시청 법우회 보살계 수계법회

傳戒師 : 河 宗 法師

의복이 날개

어머님은 시골 여유롭지 못한 가사형편에서도 우리 팔남매를 옷가지 하나는 항상 깨끗하고 말끔하게 챙겨 입히셨다 한다. 특히 아들 막내인 나에게는 더 많이 해 주셨던 것 같다.

철들어 자주 들었는데 어머님은 항상 이세상은 자기하기 나름이다. 사람은 잘 생겼던 못생겼던 항상 정갈하게 씻고 혹여 날은 옷가지라도 깨끗이 씻어 반듯하게 입고 다녀야하고 글을 알아야한다 그래야 사람들은 물론 천지신명이 헛것으로 보지 않는다. 또 입신출세하는 기반이 된다고 하시면서 언제든 옷가지를 바꿔 입힐 때는 헤진 데는 없는지 느슨한 단추는 없는지는 물론이고 양말 하나도 구멍 나 헤진 곳은 반듯이 꿔 메어 신겼어. 물론 각각의 것을 확인해 챙겨주셨다. 물론 형이 입던 옷가지를 물려받아 입었지만 그 옷도 한번 물려받으면 반드시 내 것이다.

하지만 형의 옷가지가 새것이라고 입어보고 싶어도 절대 허락하시지 않으셨다. 덕분에 나는 옷가지 수는 많았지만 새것으로 장만해 주신 기억이 별로 없다. 그런데도 옷가지 수는 많았다.

어머님의 영향을 받아서 인지 집사람도 옷가지는 항상 깔끔하게 챙겨주었다 그래서 그런지 정말 나는 시골 평범한 부모님 슬하에서 태어났지만 나름 입신출세했다. 또 내가 가정을 이루어 자식에게도 그렇게 했다.

어머님의 한글 학습

어머님께서는 그 옛날 어릴 적에 어머님의 어머님(나에겐 외할머니)께서 일찍 돌아가셨어 글을 배울 기회가 없었데.

외할머님이 계셨더라도 그때 시절에는 여자들은 글공부는 생각도 못 할 시기였다네요. 아버님과 결혼 후 새색시 시절 우리 집안에 글깨나하고 대처 유학 갔다 온 나에겐 집안 내에서 멀지 않은 형제항열에 내가 철들었을 땐 이미 돌아가셨는데 하여튼 그 형님이 집성촌인 우리 집안에는 앞으로 아낙네도 기본 한글은 읽을 수 있어야 한다고 밤에 모아서 비료 포대 잘라 노트로 활용하면서 기억, 니은, 디귿을 가르치셨대.

그때 나의 어머님이 글을 배웠고 이름자 억지로 읽고 쓸 수 있었데… 어머님은 참 대단하셨다는 것을 늦게 알았다. 내 어렸을 때 새벽에 간혹 호롱불 아래서 엎드려 뭔 책을 읽고 계셨어. 아버지 또한 마찬가지. 두 분이 번갈아 가면서 책 읽는 모습이 지금도 생각난다.

나눔을 말씀하신 부모님

어릴 적 봄날 아침식사 때가되면 가끔씩 찾아오는 아침밥 동냥 오는 사람과 아침식사가 끝난 뒤 쌀 한줌 동냥 오는 사람이 어떤 날에는 두 명 세 명이 올 때도 있었다.

그때마다 어머님은 아무 말 없이 식사 때 찾아온 사람에는 된장국물이나 김치 한 접시에 밥 한 그릇을 아침식사가 끝난 후 찾아오는 사람에는 적게나마 쌀이나 보리쌀을 한 공기씩 내주는 것을 보았다.

어린 나는 무섭기도 하고 그랬어. 내가 철든 후 어머님은 이렇게 말씀하셨다. 내 집에 온 것은 내가 줄만한 사람이라고 믿고 찾아온 것이지 아니면 왔겠는가? 그 사람이 나를 베풀 수 있는 사람이라고 생각하고 찾아온 사람을 왜 왔냐고 박절해서는 아니 된다.

사람이 있으면 있는 만큼 그때그때 능력에 맞게 베풀어야 한다고 말씀하시면서 훗날 살아가면서 동우 간에는 물론 알지 못한 사람이나 이웃이라도 어려움에는 내 능력의 범위 내에서 물질로도 좋고 안 되면 마음으로 말이라도 베풀어라 말 한마디가 천 냥 빚을 갚는다 하시며 옛날부터 만석꾼 부자는 백리 안에 굶어 죽는 사람이 없어야 만석꾼 살림을 유지하고, 천석꾼 부자는 십리 안에 굶어 죽는 사람이 없어야 그 살림을 유지 할 수 있다고 하셨다.

나눔은 많고 적음에 구분이 없다고 훗날 너들도 그렇게 살아야 한다고 하셨다. 서당공부를 한 것도 학교 과정의 학업을 하신 것도 아닌 어머님과 아버님께서 그때 노블레스 오블리주를 말씀하신 것이 지금도 가슴에 남아 있다.

2부 사회속에서 전쟁

평탄하게 잘 마무리한 직장생활

1980년 12월말 발령받아 한평생 녹을 받은 직장이지만 처음 출발할 땐 내가 꼭하고 싶었던 직장은 아니었다. 처음 발령받아 시골 사무실에 배치되었는데 그 당시 간부님들은 "축하한다. 요즘 인기 있는 시험에 문턱을 넘어 온 것 보니 그래도 제대로 준비했네. 고생 많이 했다" 하면서 축하를 해 주시면서 첫 월급타면 내의 한 벌 사고 봉투 준비해 부모님께 인사 잘 드려라 하시던 말씀들이 아직도 생각이 난다. 고맙고 감사했던 격려와 축하의 말씀들…

그도 그럴 것이 그때 당시에는 대부분이 고등학교 졸업을 앞두고 시험에 도전 통과하는 것이 80%정도고 나머진 보통 대구에 있는 취업준비 전문 학원(대구고시, 영남고시학원, 경북고시학원 등 크고 작은 유명한 고시학원이 시내 요지 건물들이었다. 물론 대학입시학원은 더 크고 더 많았다. 일신학원, 유신학원 등 대구 시내 주요 네거리에는 모두 그런 학원들이었다)에서 열심히 준비해서 문턱을 넘는 시기였다 나는 그런 부류에서 성실히 준비한 사람으로 분류되는 부류였다.

80년 12월 그때 같이 발령받은 동기들이 약 30여명 되는 거로 기억하는데 좀 전에 말했던 20%정도는 2~3년을 도전해 문턱을 넘은 부류에 속하는 나에게 그 말이 딱 맞는 것이었다.

난 길다면 긴 시간 2년을 방향은 다르고 순간순간 조금의 방황도 있었지만 나름 열심히 준비했으니…

첫 발령지에서 몇 개월 근무하다 군복무 휴직과 복직을 하고 40년을 근무하고 정년을 1년 앞두고 자연인으로 돌아왔다.

그간의 유여곡절은 가끔 있었지만 지금 글을 쓰면서 생각하니 그 때 첫 몇 개월이 기억에 생생하고 상사 분들과 선배 동료 분들의 따뜻했던 격려와 축하가 고맙고 감사하다.

첫 발령지 근무할 때 동료선배님 몇 분과 가끔 식사 겸 반주 시간 때 첫 발령 후 군에 가기 전까진 뭐가 뭔지 모르고 잘 근무하는데 군복무후 복직하면 3년이 고비고 3년을 잘 견디면 5년이 고비고 5년을 잘 견디면 정년까지 간다하는 말씀 들이 기억에 남아있다.

정말 정확한 말씀들이었다.

나도 정년 1년을 앞두고 명예퇴직을 했었다.

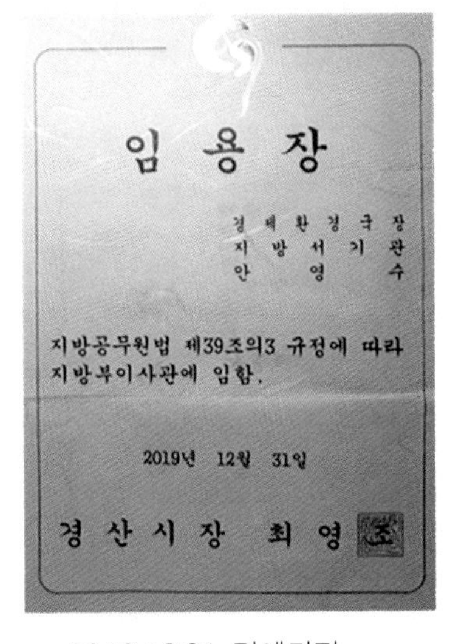
임 용 장

경 태 환 정 극 장
지 방 서 기 관
안 영 수

지방공무원법 제39조의3 규정에 따라
지방부이사관에 임함.

2019년 12월 31일

경 산 시 장 최 영 조

2019.12.31 명예퇴직

직장초년 놀란 가슴

첫 직장 공직생활 시작하는 순간 나를 당황하게 한 업무보고가 있었다. 발령받은 지 2달이 됐나? 81년 2월초 그해는 정말 추웠다. 그때 당시는 지역 행정은 농업행정이 최우선이었다. 그때 매일 보리농사 생육활착을 돕기 위해 전시행정으로 가끔 학생들을 보리밟기에 참여시키는 일도 있었다. 어느 날 퇴근 시간 긴급 직원회의에서 다음 날 새벽 출근령이 떨어져 새벽에 출근한 날이 있었는데 그날 직장 초년생이 당황했던 업무보고가 있었다. 수장인 면장실에 2월 초 어둑 어득한 새벽 7시인가 집합을 했다. 아니 임용장을 준 그때 당시 고을원님이라는 군수님이 참석한 거야. 면장님의 일반 행정 현안 보고를 하는데 최고 현안 업무보고가 보리 식량 증산 대책 현황보고였는데 이 제목은 내가 지금 시각으로 지은 제목이고 나머진 기억나는 대로 적은 것이다.

면장님의 당면 현안 업무보고 후 영감이란 군수님이 담당 계장 및 담당주무관에게 면장님 보고 사항에 대하여 추가 설명 및 보고를 받으시더니 다른 간부 및 선배 동료 몇 분께 묻는데 모두 면장님 현안 업무 보고한 대로 활착율이 어느 정도라고 답변하는 것을 듣고 있는데… 나를 당황하게 한 것은 내가 본 현실과 보고서는 영 엉뚱한 것이었다.

내가 본 현실은 이미 80% 이상이 얼어 죽었어. 근데 보고서는 현재 생육활착율이 70% 이상이라 보고하는 등 참 가관이다라고 생각했다. 이게 과년 행정인가라는 의문을 품었어. 그런데도 군수님은 아니 그 정도라고 다시 조사해 봐 정도로 끝내는 것이었다. 군수님이 귀청하고 면장님께서는 보고서와 현장은 시한부행정에는 항상 다를 수가 있어 하시면서 앞으로 담당 계장은 잘 챙겨야 해 활착율이란 게 하루하루가 다를 수 있어 일기 상황에 따라 계속 변하는 게 활착의 변동요인이잖아 재조사해 보도록 하자로 마무리된 것이다.

그 후 5월 휴직하기까지 몇 개월 동안 폭탄적인 보고서가 몇 번 수정되고 하면서 시한부 행정이 마무리 되는 것을 보았다.

그해 보리쌀 식량생산은 그때 현황보고와는 다른 전국적인 흉작으로 기록되는 해였다. 요즘도 분야별 행정실적을 다년간의 통계를 근거로 추정하는 경우도 있지만 그때 시한부행정실적은 그때그때 보고 따로 현황 따로 였던 것이었다. 나의 직관적인 관찰이 또 군수님과 면장님도 그 사실을 직시하면서도 왜 그런 보고를 하고 받고 하는 것일까?가 나를 크게 당황시킨 것이다.

사실 정부에서는 그때(79년) 여름 이상기온으로 벼농사가 냉해피해를 입어 80년 초 긴급 곡물(쌀)을 수입해 정부에서 전국에 공급하여 몇 년 거치 몇 년 분할상환이라는 정부무상양곡대여정책으로 전국에 공급되는 해였는데 그해 보리쌀식량증산도 흉작으로 정부식량공급정책이 정말 어려운 한 해였다.

고향근무

막 나가든 행동은 어느 날 고향에 근무하게 되면서 많이 달라졌다. 가는 곳마다 선배, 후배, 친구, 지인들뿐이었다.

첫 발령 때 선배님들이 말한 5년이 지나면 잘 버티고 성장할 수 있다 하신 말씀이 생각난다, 어느 날 고향 지역 근무를 하면서 86아시안게임과 88올림픽을 준비하는 시기였다. 매일 출근과 동시 국제적인 행사 준비에 전 행정력을 쏟아붓는 시간의 연속이었다. 아시안게임과 올림픽은 행정 발전은 물론 지역발전에도 큰 영향을 미쳤다.

생각도 못 했던 고속도로가 건설되고 하는 등 국가기간산업체계도 격동의 순간들이었다. 70년대 새마을 운동으로 전 국민이 잘살아 보자는 구호 아래 전 국민이 동참해 성공적으로 국가 경제발전을 완수해 아시아용으로 등극한 국민의 저력으로 아시안게임과 올림픽도 전 행정력과 전 국민이 동참했다. 이런 일련의 일들에 최일선에서 말초신경의 역할을 했음에 개인적으로 성취감을 느꼈다, 그때의 적극적인 업무 추진하면 나는 많은 변화를 했다.

개인의 능력보다 보편적인 여러 사람의 협력과 협조가 중요하다는 것을 그때 전 국민이 심은 가로수나 조성한 공원들이 지금 화려하듯이 나도 그때 심은 나무와 공원같이 화려하고 굳건하다. 그때 조성한 크고 작은 기념공원과 기념표지판이 전국 곳곳에서 볼 수 있다.

물론 다 내가 참석한 건 아니지만 내가 근무한 지역에서 크고 작게 동참했었다.

그때 꽃길과 공원 조성을 위해 예산으로 조경수를 확보한 것도 있지만 주민들과 협동으로 각 마을별로 느티나무, 자귀나무, 진달래 묘목을 야산에서 직접 채굴착 확보해 심고 봄날에 연도 변에 코스모스 꽃길을 조성하고 가을이 지나면 베어내고 하기를 몇 년을 반복해 지금은 정착된 가로환경사업이 되었다. 이런 살기 좋은 환경이 정착되는데 전 주민과 협력한 것이 지금 나의 보람이고 전 주민의 보람이 아닌가? 작은 것에서 큰 것에 이러기까지 나는 최선을 다했고 그 결과들을 보면서 그때 같이한 많은 분들이 나를 성장하게 한 고맙고 감사한 분들이었다. 그 고맙고 감사한 마음을 이렇게 적어본다.

일상이 아니었던 일들

○ 경북권재활병원부지확보

직장의 꽃으로 근무하는 시점인데 시가 의료수혜의 확대를 위해 중앙정부로부터 경북권재활병원 건립사업을 유치해 왔는데 그 업무 추진 중 중요한 부지확보를 하는 부서가 없어 수년이 지연되다 사업 반환의 위기까지 다가오는 시점에서 그 부지확보 업무가 나의 부서로 돌연 떨어진 것이었다. 두려움도 있었다. 사업주체 부서도 적극적이지 못했는데 뭔 말인가 의아했지만 지금까지의 업무 소관이 없었던 걸로 하고 내 소관이다로 추진하면서 부서장으로서 부서 직원들을 당황하게 한 것이다.

몇 개월에 거처 부지소유자인 학교법인과 적극적인 협상으로 부지를 확보해 사업부서 병원유치건립에 제공하였다.

그때 업무를 추진하면서 법률적용에 있어 상이면 서로 하려하고 벌이면 피하려는 것이 당연지사 그러나 상벌 먼저 생각하면 아무것도 진행할 수 없는 상황에서 적극 추진해 준 팀장과 주무관들에서 고맙고 감사함을 이 글을 적어면서 고맙고 감사함을 적는다.

○ 공용청사부지 확보

시청 청사가 협소하여 지속적으로 늘어나는 민원 수요충족에 기여하기는 턱없이 부족해 본청 앞 당시 상업지역으로 상업용 건물이 영업활동을 하고 있고 일부 부지는 어느 건설업자가 확보해 오피스텔

형 15층 규모 건축물 건설계획이 추진되고 있었는데 청사부지 확보가 시급한 상황이고 지금 확보되지 못한다면 영원히 확보하기 어려운 상황이 전개되는 시점이었다.

그 업무는 순수 나의 부서 소관이었다. 수장(시장님)은 다각도로 검토 확보하라는 지시가 있었고, 그때 의회에서는 그냥 두고 볼 것인가 하는 의견이 제시되고 일부 시민들도 시청 앞에 부지확보 시청사 확대가 시급한데 어쩔 것인가 그냥 15층 건물 들어오도록 두는 것인지에 대하여 많은 의견을 제시하였다. 나의 부서 소관업무지만 용도지역이 상업지역이라 법적 절차거처 매입 시도 하는 것은 도저히 불가능했다. 어느 지주가 용도지구 변경에 동의할 것 인가였다. 또 그 절차를 도시계획부서와 협의하니 정확한 도시계획 변경 절차는 입안과 공람 공청 등 그 기간 중 지주들의 이해득실 관계에서 상업지역을 공용청사 부지로의 변경은 반대가 불 보듯 한데 기간을 예측하기 어렵다는 것이었다. 그러던 중 건축허가신청은 허가부서로 접수 허가 절차가 진행된 것이다.

법상의 절차는 도저히 어려운 상황 건설업체와의 단판만이 답이라는 결론에 이르렀다 건설업체 대표를 수 차례 만나 협의해도 답이 없었다.

그 과정에 법적용의 방법검토에서 현실적으로 불가하지만 공특법이 아닌 민법적용으로 협상에 의한 매입을 위해 내부적인 의견을 시정조정위원회에 상정하려고 제안하는 과정에서 수 차례 결렬되는 과정에서 실무팀의 신상(업무 감사 시 법 위반)까지 거론되는 등 최악의 상황까지 이야기가 나온 것이다. 그때 부서장인 나는 시정조정위원회 위원들의 의견에 이렇게 대응한다, 아니 그러면 팀장 이하 실무진은 배재하고 부서장인 내가 입안자이며 결재자고 다 하겠다하고 부서에서는 팀장과 주무관에게 앞으로 이 업무 진행은 팀장과 주무관은 업무 소관에서 배재하고 추진한다로 했다. 그 후 업무 추진 과정에서 팀장이 사후 업무 감사 시 신상에 관한 문제를 감수하고 실무를 하겠다는 말에 정말 고맙고 감사했다.

그때 도시계획 전문이신 어느 시의원은 나에겐 직접 말하지 않았는데 아니 상업지역을 청사부지로 확보하겠다. 그 후 도시계획 변경하겠다는 추진은 법상 불합리하고 추진한다하더라도 사후 법률위반의 논란으로 담당자들의 신상에 큰 문제가 발생한다는 이야기를 다른 분들을 통해 나에게까지 들여온 것이다. 그분의 의견을 직접 듣고 맞는 말씀이다고 인정하면서 넓게 보고 이해를 간곡히 부탁했다 그러나 부서장인 나는 수장과 시민들의 뜻 그리고 장기적으로 볼 때 합리적이다 라는 판단으로 추진하기에 이른다. 법이란 합리적이면 되는 것이 아니겠는가? 공직자가 개인 사익을 위해 취한 행위가 아니면 신상을 크게 걱정할 일 아니다. 이렇게 나가야만 처리할 수 있다는 신념만으로 추진하여 성사 시켰다.

그 후 그 부지가 표본이 되어 청사부지로 다른 필지의 확보까지 성사하는데 초석이 되었다. 지금은 그 부지에 별관이 건립되어 늘어나는 민원 수요와 시민 편의에 크게 기여하고 있다

오로지 공직자는 어느 것이 시민을 위하는 것인지만 생각하면서 개인의 이해관계에만 관련되지 아니하면 하늘이 해결한다는 신념이 강해졌다. 나는 공직 생활 내내 내가 생각해도 또한 동료들이 봐도 좀 특이한 크고 작은 업무를 법을 떠나 추진한 적이 가끔 있었다. 그때 그때마다 나를 믿고 추진 동력을 실어주신 시장님과 업무를 같이했던 동료 분들을 지금도 고맙고 감사하게 생각한다. 고맙고 감사합니다.

10년이 아닌 그 이상을 내다본 발상

2013년 직장 꽃으로 승진 일선 기관장으로 근무하면서 처음으로 나의 의지대로 할 수 있는 시민복지증진사업비로 복지증진사업을 물색하던 중 크고 작은 많은 건의사항을 설득한 후 작은 맨발산책로 조성사업을 시행하기로 결정했다. 그 당시 많은 시민들이 자기 편리한 것만 우선하는 분위기에서 새로운 신사업을 주민들에게 제시했다.

그러나 그다지 좋은 반응을 주시지 않았다. 그래도 머지않아 건강관리를 위해 언제든지 시간 나는 대로 이용할 수 있는 시설이 요소요소에 필요하다는 것을 설명하고 추진하게 되는데 건설사업 분야의 전문성이 없었던 나로서는 힘 드는 사업이었다. 계획은 2개소를 하고자 했는데 설계를 하는 과정에서 1개소로 변경되었고 시공사가 선정되고 사업 추진하는 과정에서 사업시공사도 이런 사업은 처음이고 요구사항이 많아 적은 사업비 등 고충을 토로했었지만 시행사도 잘 마무리 해주었다. 다음 해에 한 두 개소 더하려고 했었지만 근무지가 바뀌면서 시행하지 못했다. 시간이 지나 지금은 맨발 산책로가 곳곳에 조성되고 전국적으로 명소가 많이 생겼다.

최근 내가 근무할 때 조성된 맨발로 걷는 작은 산책로를 한번 지나갈 기회가 있어 잠깐 들어가 봤었다. 지금까지 잘 유지 관리되고 있고 많은 주민 분들이 걷고 있었다. 그곳이 우리 지역에 가장 오래 되었다고 할 수 있는 인공조성 맨발산책로를 내가 제안을 하고 시행했다는 것과 그 결과물이 지금도 주민건강증진에 기여하고 있다는 것이 정말 자부심을 갖게 해주어 공직 생활을 한 것이 정말 고맙고 감사하게 생각한다.

서부2동 소재 중산 1 · 2 근린공원

3부 늦은 이야기

형만 한 아우 없다

나는 어릴 적부터 8남매 중 바로 위의 형과 가장 울고 웃고를 많이 했다. 국민학교 시절 매년 가을이면 어김없이 대운동회가 개최되었고 학교가 터져나가도록 많은 학생과 부모님들이 참여했다.

허나 나는 운동회 때마다 어머님 아버님과 함께한 기억이 없다. 항상 바로 위에 형과 손잡고 다닌 기억만 남아 있다. 사실 나중에 알았지만 어머님, 아버님은 8남매 다 입학이고 졸업식이고 한 번도 참석하지 아니하셨다 한다. 그러니 그 위에 누나와 형들은 나의 기억에 없을 때 이미 학교를 졸업했으니까 내가 4학년 때 바로 위의 형은 6학년 그러니 그 기억만 남을 수 밖에…

난 모타린 작아도 모타리 작은 놈들끼리 달리니까 달리기해서 상품으로 노트 한 권씩 받고, 청군 · 백군 단체 응원 상에서도 노트 한 권씩 받아 기분 좋아했다. 그리고 우리 형제 둘과 막내인 여동생은 한마을사는 큰댁에 얹혀 어머님이 준비해준 도시락과 간식을 먹고 또 마을 친구네 부모님들 사이에 얹혀 간식도 먹고 했었다. 그때는 시골마을 친구네들의 인심이 후했어.

오후가 되어 마을별, 육상계주 경기가 있었는데 저학년은 제외하고 4, 5, 6학년 남녀 1명씩 참여한 계주에서 나와 형이 동시에 출전했다. 나는 4학년 형은 6학년의 남자 마을 대표로 한데 나의 형은 소아마비 장애가 있어 다른 마을 6학년 형들보다 많이 차이가 났었지만 끝까지 뛰었다. 왜 그랬을까 이해가 가지 않았는데 나중에 알았다. 마을별 학생 대표가 나의 형이어서 뛰어야 했었다. 난 그때 처음 장애가 정말 많은 불편함이 있다는 걸 알았다. 그런데 형은 장애를 갖고 있어 저학년 땐 일부 못난 친구들이 가끔 놀렸는데… 요즘 같으면 난리 났었겠지. 그런데 형은 그들과 당당하게 잘 어울렸다고 한다. 한 번도 기죽지 않고 고학년이 되면서도 도로 존경을 받았다. 공부 잘해, 말 잘해, 성격 좋아, 나는 덕분에 형 친구 사이에서 귀여운 동생으로 성장했다.

나중에 안 일이지만 어머님께서는 형이 젖먹이 어릴 적 소아마비를 앓아 다리에 힘이 빠졌을 때 이틀이 멀다하고 새벽 밥 먹고 형을 등에 업고 한 시간을 걸어서 이웃 면소재지 가서 버스 타고 몇 번을 갈아타고 해서 백리길 되는 달성군 소재 어느 한의원에 가서 침술진료를 수없이 받으셨기에 그나마 조금의 장애는 있지만 지금의 형이 걸을 수가 있었다 하셨다. 그때 새벽에 출발에 집에 오시면 어떤 날은 밤이 되는 날이 더 많았다 했다.

왜? 수많은 환자들이 그 의원을 찾아오니까 그 해에는 전국에 소아마비 환자가 그렇게 많이 발생하였다고 했다. 그때 어머님께서는 할아버지와 할머니 눈 밖에 났다고 했다. 자식 놈은 지팔자 대로 살게 두면 되는데 어미가 날리라고 하실 때도 있으셨다고 하셨다.

그때 마을에 형 친구들이 꽤 많았는데 그 중에 대구로 유학가 당시 명문고를 졸업하고 국립대학 진학과 은행 취업 시험 합격한 형 친구 2명이 있었다. 고등학교 졸업하기 직전부터 대학 입학하는 다음 해 봄까지 밤이면 밤마다 거의 매일 밤이면 우리 집에 와 별의별 이야기하면서 어떤 날은 밤새 통기타치고 노래하고 어떤 날은 막걸리 마시면서 놀았어. 아니 봄 되니 홀연히 입학하고 취업해 가버리고 시골 고등학교를 다닌 장애를 가진 나의 형만 남은 거야. 그러나 형도 늦은 봄인가 소재지 막걸리 공장 경리로 갔었어. 덕분에 나는 시골 고등학교 졸업할 때까지 용돈 잘 얻어 쓰고 댕겼지. 그때도 형 친구들은 토요일 밤이나 일요일 밤 방학이고 휴가철이면 계속 오는 거야. 그런데 난 형과 같은 방에서 살면서 공부해야 하는데 좁은 시골사랑방에 덩치 큰 형 친구들 네다섯 명과 내가 앉아 있으면 좁아 그래도 그때가 좋았다. 공부는 뒷전이고 형들 틈에 끼어 잘 놀았지. 그래서 난 내 친구들보다 형 친구들과 더 잘 놀았어. 그래서 난 좀 일찍 성숙했어. 그러다 고등을 졸업하는 시점에 난 아무도 몰래 대학가는 준비를 했었는데 그때 당시 예비고사는 통과(합격)했는데 그 점수로는 어디 갈 때가 없었어. 시골 고등학교에서 예비고사 합격한 것만도 상당한 실력이 되어야 했다. 하긴 대구로 유학 간 친구들도 예비고사도 합격못한 친구들이 절반이니까 그땐 그랬걸랑. 대학 정원은 적고 고등학교 졸업자는 많았으니…

예비고사 하니 한 가지 생각이 더 나네.

바로 위의 형도 통과했어. 그때 농업계열 동계진학에서 국립대학문을 열 수 있는 점수였는데 부모님 형편에 대학 간다 입을 열지 못했어. 물론 시골 학교 성적으로 장학생 선발 점수는 안 되어 결국 문을 열지 못했어. 그걸 보면서 나 또한 공부했는데 난 그때 형이 통과한 점수보다 낮아 어디에도 어려워 조용히 재수해야겠다고 마음먹고 있는데 초봄이 되니 군에 갔던 사촌형이 전역했어. 그런데 어느 날 아버님께서 우리 집에서 사촌형 취업준비한데. 아니 사촌형 군에 갔다 와 취업준비를 우리 집에서 한데. 한 동네에서 또한 큰집은 집도 넓고 여건이 더 좋은데 세상에 우리 집 사랑방은 형 친구들 말카와 취업 및 대학 입학 대기해 좀 조용해지려니 이건 또 먼일이래.

사촌형은 대구 유학가 공부한 수재가 왜 또 우리 집 사랑방이야 의아해 했지만 아버님 어머님께서는 그게 아니다. 사람 사는 집에 사람이 와야 하고 북적거려야 해 하시면서 너 사촌은 대구로 유학가 공부도 했고 하니 같이 있어 봐 배울게 많아 하시면서 나의 불평을 달랬다.

사촌형은 중학교부터 대구로 유학가 군에 갈 때까진 대구에서 공부해서 별로 친하지 못했다. 속내는 우린 유학 꿈도 못 꾸었는데 유학해 대학 준비하다 군에 가 뭐랄까 내심 부러움이 잠재되었던 것이 아니었나? 그래서 그랬는지도 몰라, 사촌형은 그때 당시 중 · 고등학교 다니면서 태권도 도장을 다닌 것으로 기억해. 체형도 반듯했고 말하는 것도 달랐어.

그런데 잠시 같이 있었지만 사촌형은 성격이 좋았다. 기타도 치고 막걸리도 먹고 별의별 짓궂은 농담도 많이 했다.

그러다 수재라서인지 그 해 여름 경찰시험에 합격해 연수 간다고 막걸리 한잔하면서 그동안 분탕지겼는데 월급 받아 우리 멋지게 한잔하자 하면서 회식하고 경찰학교로 그 해 여름 가버렸어.

그렇게 또 우리 두 형제만 남았어.

물론 토 · 일요일이 되면 형 친구도 종전처럼 계속 오는 거야. 나는 낮에는 책상에 엎드려 있다. 밤이면 형 친구들과 같이 기타 치고 노래하고 놀아. 그러다 한 해가 가버렸어. 새로이 예비고사를 준비했는데 촌에서 독학으로 재수했으니 성적이란 좋을 수가 없었어. 말없이 재수란 참 힘들다는 걸 느끼면서 또 한해를 한 달 한 달 까먹는 삼수가 시작되었어. 근데 늦은 봄으로 기억나는데 여는 날처럼 낮에는 집에 있지만 저녁이면 마을 친구네에 가 놀다 막걸리 한 잔하고 하는 게 꼭 일상인 것처럼 되었어. 그 와중에도 책은 놓지 않았지만 책을 놓지 않아서 인지 책이 불렀는지 조상님이 불렀는지 그날 밤도 마을 구판장에 막걸리 사러 친구와 갔다. 그날따라 구판장에서 바로 먹자하고 앉아 막걸리 먹다 본 신문 공고에 공무원 시험 시행공고를 본거야.

신문, 그 시절 신문이란 시골에서는 이장, 새마을지도자, 부녀회장 댁에 국정홍보용으로 보급되는 거 외 신문을 개인적으로 구독해서 보는 수준의 식자는 시골에서는 없었다. 그러니 일반 사람들은 그저 텔레비전으로 정보를 터득하고 알아차리는 정도가 전부고 시골은 일뿐이 몰랐다. 요즘은 갖가지 정보를 손에 든 스마트폰으로 실시간 접하지만…

친구 놈하고 먹던 막걸리 먹고 그 놈의 신문 공고 그 부분 찢어서 주머니에 넣어 집에 와 가만히 읽어보니 응시원서 기간이 있어. 그날을 기다리다 원서를 낸 거야. 2달 정도 시험 준비 기간이 있었어. 시험을 치려면 어떤 유형의 문제가 출제되는지 알아야 할 것 같아 최근 출제유형 파악 위해 대구 입시 전문 학원 입구 서점에 가서 최근 출제된 기출문제 및 문제은행이란 책을 구입한 거야. 8월에 시험 치고 10월에 합격 통보 받은 거야.

이 모든 일련의 일들이 함께 놀고 책 보면서 한 번도 잔소리 하지 않고 내가 하는 거 지켜봐줬어. 언제 간 막걸리 넘 많이 먹어 자다 방에서 자는 잠결에 다 반납했어. 그래도 그 순간도 이튿날 아침도 그 다음날도 한마디 말이 없었어. 며칠이 지나 괜찮아 한 마디뿐이었어. 그냥 그대로 지켜봐줬어. 그날 이후 난 크게 성숙했어.

발령통지서를 받고 예기했어. 내가 그때 시험 친 거 발령통지서 왔다 하니 이제 어머님, 아버님께 말씀드리라 해서 말씀드렸지. 사실 그때까지 어머님과 아버님은 내가 시험 친 건 알았지만 합격을 했는지 모르고 계셨거든. 그때까지 형이 시험합격과 등록에 이르기까지 모든 것을 뒷바라지 해 주었지만 이놈 어딜 튈지 모르니 덮어둔 거였어. 그 다음날 저녁 어머님, 아버님께 말을 드렸어. 어머니, 아버님 말씀 드리고 나니 형이 취업 기념으로 옷 한 벌까지 갖춰준대서 그 다음 날 바로 큰 누나에게 의상 자문 좀 해라고 연락해서 촌놈이 백화점 옷 처음으로 갖춰 입었어. 그래서 옷 잘 얻어 입었지요. 덕분에 큰 누나까지 선물로 지갑을 사주셨다. 순간 이 몸이 갑자기 촌놈에서 명품족으로 변신해 버렸다.

그 후에도 직장 생활하면서 승진하고 좋은 일 있을 때마다 큰 도움을 주셨다. 퇴직하는 순간까지도 사회생활의 맨토로 많은 도움을 주셨다. 늘 고맙고 감사한 형님이시다. 형만 한 아우 없다 하는 옛 어른들의 말씀이 내 몸에 와 닫는다.

1979년 1월 고등학교
졸업하는 날 형과 함께

꿈이 아닌 목표가

학교 입학하기 전 앞산 하늘에서 뒷산 하늘로 하얀 줄그 으며 저 높은 곳에서 날아가는 비행기 처다 보면서 언제 저 비행기 한 번 타 보고 싶었다. 어디 갔다 어디로 오는지 정말 궁금했다.

비행기에는 몇 사람이 탔을까? 어떻게 앉아있을까? 그 시절 시골에는 유치원도 없었고 요즘처럼 TV도 없었다. 라디오도 잘 사는 부자집에나 있었고 대부분 커다란 두부모만한 건전지 연결해 소리만 듣는 통라디오가 전부였을 시절, 나는 비행기 그림도 못 보고 성장했다. 6학년 때인가 우리 마을에도 전기가 들어왔다. 전기가 들어오니 마을 부자 순서인지 하여튼 몇 집에 TV들어 왔다. 그 집에는 매일 저녁이면 말 그대로 동네 안방극장이었어. 그때 당시 일일연속극으로 여로라는 연속극을 보기 위해 TV가 있는 몇 집으로 온 동네 할매, 아지매들이 다 모여 애국가 나올 때까지 보는 게 저녁 일상이었다. 나는 그때서야 TV뉴스에서 간혹 나오는 비행기를 처음 상세하게 보았다.

어릴 적 비행기 한 번 타봤으면 하는 게 꿈이었는데 초등학교 입학하면서 난 선생님 되는 꿈을 가지게 되었다. 왜냐? 시골 초등학교 저학년 때 일이다. 2학년 때로 기억된다. 그때는 시골 생활 수준이 참 어려웠다.

나중에 안 일이지만 그때는 미국식량(밀가루, 옥수수 가루) 원조받아 학생들에게 빵을 구워 점심시간이면 매일 1개씩 나눠줬다. 그게 정말 맛이 있었다. 여름에는 교실부족으로 임시 교실 운동장 한켠 나무 아래 콘크리트로 된 야외 책상에 둘러앉아서 수업받는 요일도 있었다. 그래도 참 재미있었다. 빵을 나눠주는 선생님이 정말 최고였거든. 그때 난 선생님 꿈을 가져봤다. 그런데 3학년 때 그 빵 보급이 없어졌다. 꿈도 없어졌다. 그저 꿈은 꿈이지.

중학교 1학년 여름방학 때 마을 중간에 빨간 지프차가 며칠 주차해 있는 거야. 참 부러웠다. 나중에 알았는데 그 차는 그때 우리 마을 최고 부잣집 아들의 차였고 방학을 맞아 고향 집에 잠시 왔다는 것이다. 그때 그 양반은 어느 국립대 미대 교수라 하더군. 아! 교수하면 멋지다. 교수 한 번 되어 봤으면 하는 꿈을 다시 꾸었는 거야.

꿈은 꿈이다. 고등을 졸업하면서 또 직장을 얻기까지 짧다면 짧고 길 다면 긴 2년 동안 턱도 없는 대학을 꿈꾸면서….

꿈은 꿈이다가 또 다시 왔다.

끝내 꿈은 꿈으로 사라지는 2년이란 세월이 지나가면서 부모님이 가끔 말씀하시던 자식들은 손에 흙 안 묻히고 살아야 할 텐데 하면서 평생을 농사지으시는 걸 보고 생각한 것이 아니 군에 가기 전에 손에 흙 안 묻히고 살 수 있는 직장 잡아 월급 타는 모습 보여줘, 부모님 소원 들어 드려야겠다는 꿈이 아닌 목표가 생긴 거야.

꿈이 아닌 목표는 현실이 된 거야. 부모님의 간절한 소망(꿈)이 자식들은 손에 흙 안 묻히고 살게 해달라고 눈이 오나 비가 오나 새벽이면 정화수 떠서 집한 켠 장독대중 제일 큰 단지 위에 정성스레 올려놓고 두 손 모아 어머님만의 소리 없는 주문을 외시던 그 소망이 막걸리 먹다 본 정보에 의해 이루어지는 어머님의 소망이 나의 목표가 되고 현실로 이어진 것이 나의 직업이 되었다.

나의 사랑 나의 가족

부모님이 이어주고 만들어 준 나의 사랑 나의 가족.

시골 천덕꾸러기로 태어나 강단이 있으셨던 어머님 덕에 그 시절 시골학교지만 고등학교까지 다닐 수 있었다. 나의 친구는 우리 마을에서 12명이나 되었다. 그 중 고등을 유학 간 친구는 둘 뿐이고 그나마 시골학교라도 고등학교 간 친구가 넷뿐이다. 잠시 방황하다 자리(직장)잡아 막나가던 나에게 나의 사랑 나의 가족이 생겼어.

내가 고등학교 다닐 때부터 어머님께서는 건강이 좋지 않아 동네 사람들이 저 집 오산 댁이 부자병 땜에 곧 죽는다고 소문나 있었다. 그러니 막내아들 직장 잡았으니 죽기 전에 자식새끼 끄나풀이어 주고 막내딸까지 끄나풀 이어주려면 부모님은 얼마나 바빴겠어.

그래서 이어진 나의 사랑 나의 가족.

결혼은 비슷비슷한 집안이라야 한다면서 나의 의지와 달리 이어진 결혼이었지만 나의 사랑 나의 가족이 탄생했다. 어머님은 결혼 후 첫째가 태어나 돌이 되어 돌 선물해 주시면서 인자 죽어도 눈 감겠다 하셨어. 그런데 건강이 좋아졌어. 아니 둘째를 낳고 돌 선물 주시면서 또 인자 죽어도 눈 감겠다 하셨어. 그런데 큰 놈 고등학교 입학 기념으로 금일봉까지 주시면서 축하하셨어. 곧 돌아가신다고 나 고등학교 댕길 때부터 소문나 있어서 고생하시던 어머님께서 내가 결혼한 때부터 건강이 점점 좋아지셨어. 손자 중학교·고등학교 입학까지 축하해 주셨으니 이만하면 나의 사랑하는 나의 가족 아닌가.

늦은 학사모

시골 평범한 집 일곱 번째로 태어나 철없던 시절 부모님 마음 많이 아프게 하면서 성장했어. 그래도 집안사람들과 마을 사람들이 저 집 오산 댁에 경사가 끊이지않네 하던 잠시의 시간들 속에서 우리 집도 나도 많이 달라졌다. 사실 마을에서 석유곤로에서 LPG가스레인지 취사장비로 연탄보일러에서 석유보일러로….

집은 오래된 한옥이지만 현대문명은 마을에서 몇 번째로 빨리 바꾸는 등 좋은 환경조성은 나도 일조를 했지만 우리 8남매가 다 어려운 시절 고생하신 부모님을 늦게나마 조금이라도 편하게 지내시게 해야 한다는 마음이 발동한 것이기에 가능했었다.

이런 환경이 조성되고 조금 여유로워지는 순간 나의 본심이 이탈한 것이었다. 사실 어머님은 나에게도 우리 형제에게도 대학에 대한 이야기는 입 밖에 한 번도 내지 아니하셨다. 어머님은 항상 강인하셨다. 난 어머님 돌아가시기 전 대학 공부하는 거 보여줘야지 생각은 했는데 잊고 사회생활 즐기다 뒤늦게 2002년도에 방송대학 문을 두드렸는데 어머님은 학사모 쓰기를 기다려 주시지 않으시고 2004년 단오날 아침 홀연히 가셨다. 학사모 쓴 사진 못 보여드려 지금도 죄송하다. 그래도 대학가라 소리 한 번 못해 미안하다던 말씀이 생각나 그 다음 다음해 8월 학위기를 받아 들고 살아생전에 좋아하시던 과일 몇 개와 음료 들고 산소에 가 어머님께 학위취득 신고를 했다. 물론 산소에 가기 전 아버님께 신고는 했었다.

직장생활 한 후 한참 뒤 깨달았는데 그때 낮에는 엎드려 있다 밤이면 막걸리 먹고 하던 나를 지켜보면서 2년여 어머님은 얼마나 고심하셨을까?

사실은 그때 동네 구판장을 집안 형님 댁에서 했는데 막걸리를 자주 갖고 간다고 때론 한 바게스 씩이나. 집안 형님께서는 그도 그를 것이 한 달에 한 번씩 구판장 결산을 해야 하는데 집안 동생 걱정도 되고 해서 어머님께 외상값에 대하여 말씀드리셨겠지.

그때 어머님께서 얼마나 놀랐을까 아니 그 전에 알고 계셨겠지? 그러나 한 번도 내색하지 아니하셨던 강인하신 분이셨다. 저 어린놈 얼마나 답답하면 술을 마시면서 엎드려 있을까 생각하시면서 얼마나 가슴 아파하셨을까. 또 저놈 지하고 싶은 대학공부하고 학사모 쓰고 졸업하는 거 얼마나 보고 싶었을까 생각하니 죄송한 마음 가슴을 여민다.

2006년 8월 방송대 졸업하는 날

못다핀 꽃 한 송이

어머님께서는 이놈한테 우짜노, 잘 살지 못하는 부모만나 하고 싶은 거 못하고 혼자 많이 앓았제. 대학가라 소리 한번 못 한 게 넘 미안하다. 그동안 고생했다. 못 다한 공부는 기회가 되면 할 수 있다 하시면서 취업 축하해 주셨는데….

못 다한 공부 살아계실 적에 하는 거 보고 가셔야 하는데 본인이 시켜 주시지 못해 미안해 가셨는지 어머님은 이놈 학사모 쓰기를 기다려 주시지 아니하시고 온 산야가 꽃으로 활짝 핀 2004년 단오날 아침 홀연히 가셨다.

어머님이 홀연히 가신지 7년 지난 2010년 8월말 큰 놈은 교환학생으로 미국으로 유학 간다고, 작은 놈은 군복무 중 마지막 휴가 와서 아버님 계시는 큰댁으로… 아들 두 놈 앞세워 집사람이랑 넷이 다 함께 같이 가는 것이 오랜만이고 해서 뿌듯했다. 뵙고 인사했다.

그때까지만 해도 말씀은 못하셔도 알아들으시고 손자 놈 손 꼭 잡고 눈빛으로 답하셨는데, 큰 놈은 유학 잘 갔다 오겠습니다. 작은 놈은 군생활 잘하고 전역해서 인사 오겠다고 인사드리고 돌아와 큰 놈 비행기 탔다고 전화 받고 작은 놈 내일 새 복귀하려면 일찍 자야지하면서 잠시 눈 감았나? 큰 형님 전화가 왔었네.

그 날 하늘이신 아버님이 홀연히 가셨다.

어머님 살아생전에 집사람 목욕탕 모시고 가 등 밀어 드리고 와서 하던 말. 어머님 최근 살이 넘 많이 빠진 것 같아 올케 밀어드

리지 못했다면서 자식이란 사람이 어머님 살이 얼마나 빠지는지도 모르고 그냥 갔다 오기만하면 뭐하냐는 말에 그 날 이후 나도 주기적으로 아버님을 목욕탕에 모시고 간지 얼마 지나지 않아 어머님 돌아가시고 아버님은 그 후 멀리 큰형 댁으로 가셨어. 그때부터 격주로 두 아들놈 중 한 놈은 무조건 데리고 같이 가자해서 그렇게 했어. 큰 놈 대학수능 앞두고도 같이 가서 목욕하고 식사하고 했어. 아버님 기운이 조금 좋은 날은 조금 멀리 온천 가서 등 밀어 드리고 식사같이 하고 했던 것이 눈에 선한데…

어머님께서 가실 땐 학사모 쓴 모습 못 보시고 가셨어. 아버님께는 직장에서 꽃으로 피는 거 못 보시고 홀연히 가셨다. 난 그 날 새벽 운전해 큰 댁 울산으로 내려가는데 하늘이 안보여 넘 어둡고 어둡고 어두웠고 무서웠다. 한없는 눈물을 쏟았다.

어머님은 학사모 쓰는 것을, 아버님은 이 놈 직장에 꽃으로 피기를 기다려주시지 않으셨다. 공은 지은 대로 간다했는데 공이 부족했구나를 그때서야 알았다.

3년 뒤 이놈 직장에서의 꽃(사무관)으로 승진하고 시간이 지나 또 큰 꽃(서기관)으로 승진했다. 늦었지만 그때 그때마다 아버님 살아계실 적 즐기시던 술 한 병 들고 집사람이랑 산소에 가 신고를 했다. 늦어서 죄송하다고…

정말 가슴이 뭉클하고 허전했다. 살아계셨다면 얼마나 기뻐하셨을까?

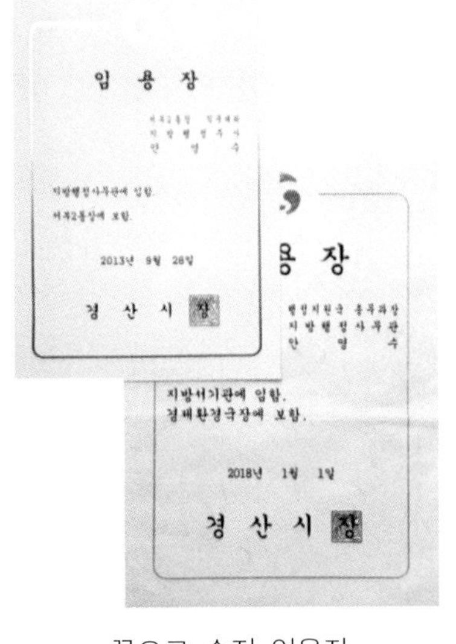
임 용 장

지방행정사무관에 임함.

2013년 9월 28일

경 산 시 장

용 장

안 영 수

지방서기관에 임함.

2018년 1월 1일

경 산 시 장

꽃으로 승진 임용장

비행기 타보는 꿈 이루다

어릴 적 집 마당과 동네 골목골목 뛰어다니면서 앞산 하늘에서 뒷산 하늘로 하얀 줄그으면서 날아가는 비행기 그냥 다 지나갈 때까지 하얀 줄 흩어져 없어질 때까지 하늘 쳐다보며 저 비행기 한 번 타봤으면 했던 꿈이 현실로 이뤄졌어.

87년 12월 결혼을 앞두고 신혼여행을 준비하는데 그 시절에는 비행기 편수가 많지 않아 제주도 신혼여행 가는 것은 꿈이었다. 신혼부부 대부분이 제주를 계획하는데 경비도 만만찮았지만 비행기 표를 구입 못 해 비행기 못 타고 내륙 신혼여행 하는 시기였어.

1987년 제주 신혼여행

하지만 난 운이 좋았는지 비행기 표를 확보했어.

1987년 12월 20일 18시 제주행 비행기를 탔어.

어릴 적 꿈을 이룬 거야 .

해외 첫 여행

우리나라가 경제성장은 했지만 해외 여행자유화가 이루어진 것이 공식적으로는 81년도이지만 그 시기 해외여행은 승인을 받아야 가능한 시기를 거쳐 88올림픽 이후 89년 1월부터 해외여행 완전 자유화가 된 것이다.

해외여행 자유화가 되니 제일 첫 번째 여행객이 신혼여행 팀이었어. 간혹 여행사 패키지로 여행을 하는 일부사람들도 있었지만 지방에서는 보기 힘든 일들이었다. 헌데 나에게 해외 첫 여행 기회가 온 것이다. 1998년 7월 1일 초여름 상해로 간다. 가는 날이 장날이라고 홍콩 반환 1주년이 되는 날 중국으로 들어 간 거야. 정말 궁금하고 궁금했던 타국에서 독립운동시기 독립군과 독립지사들이 중국 상해를 거점으로 활약하던 임정요인들이 사용했다는 임정청사 등을 구경하는 정도가 다였는데 나에겐 의미가 컸다.

사실 초등학교, 중학교 때 졸업을 앞두고 수학여행이란 것을 서울, 부산 등으로 갔는데 난 그때 친구들과 같이 하지 못했다. 사회생활하면서 간혹 서울로 어디로 출장으로 간 것이 전부였고 간혹 휴가 때 가족과 함께 국내 요소요소를 다닌 것이 전부였기 때문이다. 여행이란 이름을 붙이긴 그러했다. 여행이란 이름으로 간 것은 고등졸업여행으로 설악산을 간 것과 결혼하면서 제주도 신혼여행이 전부였기에 해외여행은 생각해 보지 못했다. 어릴 적 그냥 비행기 한 번 타봤으면 하는 꿈이었지 그땐 해외라는 단어도 모를 때였으니까.

그 후 동남아 와 동서북유럽을 특히 서유럽은 몇 번을 다녀왔다. 북유럽 여행 중에는 지중해를 거슬러 올라가 노르웨이 오슬로까지 이어지는 크루즈를 탄 적도 있다. 그래도 그저 그랬다. 첫 해외여행이 아직도 기억에 남아있다. 홍콩반환 1주년 기념행사서 홍콩반환서명 기념 축포소리가 아직도 귀가를 울린다.

4부 세 번 받은 선물

어린놈 잡아가려 했던 장티푸스

국민학교 6학년의 일상 학업은 순조롭지 못했다. 초봄 아마도 환절기인 것으로 기억한다. 감기가 심하게 들어 몇 일간을 코물 흐리고 배 아파 설사하고 하면서 학교를 몇 일간 다녔다. 어느 날부터 학교를 가지 못하고 앓아 누웠다. 이웃 면소재지 의원에 한 번 다녀온 후로는 어머님이 달여 주시는 한약을 먹으면서 회복의 날을 기다리는 시간이 점점 길어진 거야. 그래도 우리 마을에 용한 한약방이 있어 다행이었다. 이웃 마을은 물론 타지 사람들도 그 해 봄 감기환자들의 약을 지어로 오는 등 알아주는 한약방이었다.

그래도 나는 며칠을 먹었는지도 모른다. 그때 고생했던 병명이 장티푸스란 걸 나중에 알았다. 요즘이면 병원에 가면 간단하겠지만 그때는 내가 사는 면 지역에는 의원조차 없던 시절이었고 대처에 있는 병원은 시골 사람들이 가는 곳인지도 몰랐고 또 의료 수가가 엄청나 일반인들은 병원은커녕 이웃한 면소재지 의원에도 가기 힘들어하는 시절이었다 한다.

그렇게 집에서 회복하기를 기다리면서 이어지는 시간은 점점 길어졌어. 어느 날 아버님께서는 못털이에서(모내기를 마칠 때쯤이면 항상 못에 저수량이 줄어 바닥이 들어 나면 물고기를 잡는 것) 엄청 큰 황금색 잉어를 한 마리 잡아 오셨어. 그 잉어를 어머님께서 푹 고아 나를 먹였데 거미같이 말라 붉은 죽 국물도 올케 못 먹던 내가 한 그릇을 뚝딱하고는 엄마 정말 맛있다 했데…

그 날 이후 며칠간을 그 잉어 고아 만든 국물을 마시고 회복기에 접어들었다 한다. 그러던 어느 날 나의 담임선생이 가정방문했데.

회복사항도 궁금하고 결석 기간이 너무 길어지면 수업일수 부족으로 유급되니 걱정도 되고 해서 오셨데. 마침 최근 몇 일전부터 회복이 되고 있다는 아버님 설명에 다행이라면서 돌아가신 후 나는 정말 빠르게 회복하여 학교를 나가게 되었어. 정말 어려운 시기에 정말 간곡했던 부모님의 정성 덕분에 그 큰 황금색 잉어가 이놈의 질병 회복에 큰 도움이 됐어.

나중에 들은 이야긴데 넘 긴 기간 한약을 먹었지만 원기부족으로 그 한약을 섭취할 기력이 떨어진 상태에서 잉어탕이 원기회복에 큰 도움을 줬대나. 그때 어머님, 아버님께서는 마당에 있는 닭을 팔아 한약 값에 쓰고 했는데 닭고기 육수를 해 주고 싶어도 한약 먹는 기간에는 닭고기 금식 처방이라 그렇게 하실 수가 없었데. 물론 시장에 잉어도 여타 고기도 팔았겠지만 한약 값 충당하시기도 빠듯한 살림살이에 얼마나 가슴 아파하셨을까?

철들어 알았는데 그때 한약값도 나중에는 외상으로 처방해주셨다고 했다. 우리 마을은 집성촌인데 그분이 멀지 않는 친척이었고 우리 집 사정을 너무 잘 알았기에 애 살려놓고 이야기하면 된다 하시면서 그냥 계속 외상으로 주셨대. 아마도 나의 어머니, 아버님이 집안이나 주위 사라들에게 신용이 없었다면 가능했을까?

또 아무리 집안이라 하드라도 외상으로 약을 지어주신 집안 아저씨와 결석기간이 길어지자 건강과 학업이 걱정이 되어 가정방문까지 와 주셨던 담임 선생님 모두 모두가 고마우신 분이다. 정말 고맙고 감사합니다.

일할 만 한 놈 잡아가려 했던 연탄가스

82년 말 군복무 마치고 복직을 했어. 복직하니 기존 근무지엔 자리가 없어 어느 지역사무소에 발령 나 자치 겸 하숙을 하던 연말이었어. 추운 연말 동료들과 저녁 식사하고 숙소 방에 들어가 잠을 청했어. 눈을 뜨니 병원이었어. 연유들 들어보니 아침 하숙 식당에 시간이 되어도 나타나지 않아 식당을 같이 이용하던 동료가 식사 후 나의 숙소에 찾아와 보니 일어나질 못하더래. 연탄가스 냄새는 말할 수 없고 부랴부랴 병원으로 이송했데.

그날 오후 퇴원해 난 사무실에 이야기하고 고향집에 와 회복하면서 그만둬야 하나를 고민하다 흰죽을 끓여 들고 들어와 먹어라 빨리 회복해야지 하시는 어머님 말씀 끝에 차마 그만두고 싶다는 말을 하지 못했다.

그러다 이틀인가 지나 사무실로 출근했어. 근무하면서 며칠이고 고민을 했어. 철없는 막내 재수한다고 배 깔고 엎드려 있을 때 고심하신 부모님 얼마나 가슴아파 하셨을까? 또 이번 연탄가스 사고로 얼마나 놀랐을까 발령받았다고 말씀드렸을 때 우짜노 잘 살지 못한 부모만나 하고 싶은 거 못하고 혼자 많이 알았제? 대학가라 소리 한번 못한 게 넘 미안하다, 그동안 고생했다, 고맙다 하시면서 못다 한 공부는 또 기회가 되면 할 수 있다 하면서 축하와 격려를 해주시던 어머님, 아버님께 그만둔다는 말을 하는 것은 아니다. 또 내가 준비한 게 아무것도 없는데 그만두는 것은 아니다로 결정하면서 새벽이면 정화수 떠 놓고 기도하시는 모습 상상하면서 업무에 전념한다.

아마도 어머님은 내가 말없이 출근한다고 근무지로 떠나온 뒤 아들 막내 멀리 객지에 둬서는 안 되겠다고 고향 와 근무할 수 있길 기도하셨지 않으셨나. 다음 해 봄이 지나고 여름에 정기인사 앞두고 갑작스레 연고지배치라는 인사정책에 끼어 1983년 6월 1일 고향으로 근무하게 되었어. 커다란 충격은 이렇게 조용히 덮어진다.

2013년 12월 연탄은행 배달봉사

큰 일 할라는데 고장 난 심장

시골 평범한 집 일곱 번째가 촌놈 출세했다하는 소리도 잠깐, 어느 순간 하늘이 무너지는 순간이 갑자기 온 거야.

나는 직장생활을 하면서도 외부 친구들과 교류를 많이 했다. 그날이 찾아오기 전 약 한 달간 직장업무 시간 후면 내가 초등을 73년도 졸업을 했는데 우리 지역 73년도 초등 졸업한 학교별 동기회 즉 73연합회(10개교) 체육대회 준비를 해왔다. 5월 첫째 일요일이 연합 체육대회로 매년 잡혀 있었고 그 해에는 내가 졸업한 초등학교가 주관하는 해라서 우리 동기 임원 몇 명은 약 한 달간 직장근무 시간 후 모여 준비를 했다. 그러던 어느 날 계획대로 모든 준비가 완료되었어. 그동안 같이 고생한 회원 · 학교 임원 등 여럿이 만나 체육대회는 물론 별의별 이야기로 밤늦게까지 시간을 보내곤 했다.

그러던 어느 날 출근하는데 주차장에서 사무실 1층 입구까지 가는 길은 일이백 미터 정도인데 이마에 땀이 비 오듯 흘러내리는 거야.

4월 말이니까 의복 탓도 있었겠지만 출근하는데 주차장에서 사무실 1층 입구 공원에서 동료 친구들과 이야기하면서 땀을 식히고 사무실로 가다가 2층 계단에서 또 멈춰서 땀을 훔치고 있는데 또 다른 동료 친구를 만난거야. 그 친구 하는 말 “너 당장 저기 어느 병원을 가르쳐 주면서 당장 가봐” 자기도 이런 적이 있었대나?

알았다하면서 3층으로 올라가는데 또 땀이 비 오듯 나는 거야. 겨

우 사무실 자리에 앉으면서 동료에게 나 조금 있다 9시 되면 병원 가서 주사 한대 맞고 오겠다하면서 이야기하던 중 동료 한 명이 뭐 그럴 것 있습니까? 지금 당장 갑시다. 지금 가도 9시에 진료 받으려면 얼마나 기다려야 할지도 모르는데 하는 거야. 고맙게도 병원에 주차하기도 어렵고 하니 모셔다 드리고 진료 받은 후 연락 주면 모시러 오겠다고 가자는 거야.

그래서 내 발로 멀쩡하게 병에 간 거야. 아니나 다를까 접수하니 대기실에는 벌써 대기좌석이 없어. 내가 진료받고자 하는 내과 1, 2, 3과 모두 대기 인원이 30명씩 꽉차 있어서 답답했다. 그래서 동료를 진료 받은 후 연락하겠다고 보내고 대기시간에 혈압이나 체크해 보자는 생각에 혈압기에 팔을 넣고 체크하던 중 누가 등을 툭 치면서 웬일이냐고 하는데 그 병원 행정실장이었어. 그런데 그 실장이 아니 바쁘신 분이 이렇게 있으면 됩니까? 하시더니 자기 방으로 데리고 가 차를 한 잔하면서 잠깐 대화 후 시간을 보니 아직 30분이나 더 기다려야 진료 시작이고 내 순번대로 하면 오전에는 진료를 받을 수 없는 순서였어. 방법이 없다하고 대기실에서 대기 중인데 한참 후 진료가 시작되는데 첫 번째 환자가 진료 받으러 들어간 후 두 번째 환자 호명하기 전 어떤 간호사가 나를 찾는 거야. 따라갔는데 바로 의사선생을 만난거야. 한데 의사선생님과 아픈 증상을 이야기하고 나니 진맥인가 손목잡고 한참 있다 하시는 말씀이 내 응급실에 연락할 테니 지금 응급실로 바로 가십시오 하는 거야. 그래서 간호사 안내로 응급실 가니 응급실 의사선생은 침상에 누이더니 바로 링거를 꽂고 주사 처방을 하더니 지금 보호자 연락해서 불러라 하는 거야. 그리고 보호자 오면 큰 병원으로 바로 가야 합니다 하는 거야. 그래서 얼떨결에 집에 연락했어.

집사람 놀라 바로 왔어. 앰뷸런스로 모시겠다는 거야 그래서 아니 나 괜찮으니까 집사람이랑 내발로 갈 테니 이거 링거 좀 빼 달랬는데 안 된다는 거야. 그래서 앰뷸런스로 큰 병원(대학병원)에 도착한 거야. 아니 응급실에 들어갔는데 의견서 보더니 링거를 교체하는데 뭐 3가지나 주렁주렁 달아주더니 응급병상이 없으니 앉아서 대기하라는 거야. 그래서 사무실 연락해서 사정을 이야기하고 병가조치 부탁하고 대기하는데 한 시간 마다 피를 뽑아가고 주사 주고 하는 것 외에는 하는 게 없어. 그러다 밤 12시가 넘었어. 그렇게 의사는 아니 오고 피는 계속 뽑아가고 주사 처방 외에는 없는 거야. 어느 순간 간호사가 또 피를 뽑는 거야. 그래서 나 괜찮으니 이거 다 뽑아주세요. 아니 별 다른 것도 없는데 하니 간호사가 다음 시간에 의사선생님이 순회하는 시간이니 그때 말하라는 것이었다. 또 한 시간 지나니 의사선생님이 오셔서 하시는 말씀 왈 지난 시간에 간호사에게 뽑아 달라 했다는데 이거 참 환자분 정신 좀 차리세요. 지금 이거 뽑으면 어찌될지 아무도 몰라요 하시더니 지금 환자분은 복이 많아 이렇게 앉아 말하지. 진료 의견은 하면서 나의 건강 상황을 설명해 주셨다. 급성심근경색이라는 거야. 아니 그때부터 걱정인거야.

이틀날 새벽이 되어도 마찬가지야. 링거 다 되면 교체하고 시간되면 피 뽑고 주사 주고 계속인 거야. 그러던 아침 시간 내가 있는 응급실에 지인이 갑자기 온 거야. 반갑긴 했지만 사무실에 연락할 때 아무에게도 말하지 말라 했는데 어떻게 알고 오셨나하니 아니 연락할 일이 있어 사무실 연락하니 그냥 연가 중이라 하고 폰 하니 안 받지 해서 그래서 수소문하다 밤늦게 알아서 아침에 왔데. 그래서 다른 이야기 할 필요 없고 얼굴 봤으니 되었다 하면서 일어서며 하시는 말씀이 이거 이렇게 대기하다간 고생이 너무 커 큰일이다 하면서 내 알아보긴 알아볼게. 혹시 뭔 일 있으면 연락달라하고 나가신 거야. 그런데 1시간쯤 지났나 멍하니 대기하던 중 간호사가 찾아서 따라갔어. 그때부터 진료가 시작되는데 갑자기 집중진료실에 입원되었어. 집중 진료실이란 걸 TV에서나 봤지. 이거 보호자도 정해진 시간 외 못 들어와. 대·소변 볼 일도 병실 안에서 해야 해. 병실 바깥으로 못나가, 온 몸에 뭘 주렁주렁 달아 연결된 정면에 대형모니터에는 환자 안영수 외에는 알아볼 수 없는 많은 글자들이 쓰여져 있고 모니터에는 세 가지, 네 가지의 그래프가 그려져 나가고 사면은 통유리로 바깥이 다 보이는데 의사와 간호사는 계속 왔다 갔다 하지 점심시간이 지나 저녁시간이 되어 보호자 면회시간인 됐어. 집사람이 들어오기에 어디서 어떻게 있었냐고 물었더니 병실 복도에 계속 서 있었데. 아들놈들도 와서 기다리고 있는데 한 명 외 못 들어온데. 그래서 바깥에 있는데 못 들어온데 잠깐 면회시간이 지나고 시간은 자정이 넘었는데 잠이 오지 않아. 아니 응급실에서 24시간 이상 잠 못 자고 있었는데 이곳에서도 계속 잠은 안 오는 거야. 시간 시간 피 뽑아가는 거와 링거 교체하는 거 보면서 별의별 생각이 스쳐 지나가는 거야.

하루 밤이 또 지나가고 아침 면회시간인데 집사람이 들어 왔어. 내 얼굴은 내가 어떤지 모르겠는데 집사람 얼굴이 말이 아니더군. 멀쩡한 사람 잡겠다는 생각이 들었다. 언제까지 이렇게 있어야 하는지도 몰라 더 걱정이었다. 또 하루가 지나가고 또 하루가 지나갔는데 몽롱한 상황에서 잠은 언제 잤는지 안 잤는지도 구분이 안 되는 새벽 시간에 의사가 들어왔어. 오늘 몇 시 시술 잡혔습니다 하고는 시술 준비해야 한다며 면도하고 소독하고 나갔다.

몇 시인지 수술용 환자복으로 갈아입고 수술실로 이동했어. 어리둥절한 상태에서 수술대로 이동되었어. 수술 팀이 준비하는 거 눈으로 다 봤어. 맞은편 대형 모니터에는 환자 나의 이름 세자 외에는 알아볼 수 없는 글만 있고 뭔 혈관인지 알아도 못 보는 혈관이 그림에서 보던 동맥 정맥 실핏줄이 구분도 안 되는 화면이 일렁거리고 하는데 시술팀 의사·간호사는 의사한 분의 지시에 따라 뭘 하는데 그 순간 의사 선생님 가운으로 나의 피가 분무기 분무소독 때 물뿜는 것처럼 확 뿜어 온 팔에 피를 뿌렸어. 그러고 나니 준비가 다 된 모양이었어. 마취선생님인지 의사선생이신지 환자분 성함은? 하시고 또 나이는? 하는데 그 순간 팔목혈관을 통해 통기타 쇠 줄 같은 걸 밀어 넣어 대형모니터에는 혈관을 통해 뭔 하얀 점이 계속 이동하고 있는 게 보였는데 그 다음은 기억에 없어요. 일어나니 병실이었어. 회복중이라고 집사람이 말하더군. 아! 이제 새로 살아났구나를 생각하면서 난 현대의술이 아니었으면 어찌 되었을까를 생각하니 아찔했다.

시술 전엔 별의 별생각에 잠이 오질 않았는데 막상 수술이 끝나고 깨어나니 안도의 한숨과 이 세상의 모든 것이 감사하고 감사했다. 응급실 오는 날부터 시술 끝나 깨어나는 시간까지 잠 한 숨 옳게 못 잤을 것 생각하니 집사람이 안쓰러웠고 잠 못 자고 직장이랑 병원에 오고 가고 한 두 아들과 며느리 마음고생 얼마나 많이 했을까 생각하니 미안하고 고마웠다.

또 처음 지역병원에서도 지인인 병원행정실장을 만나 응급조치 후 대학병원으로 바로 이송해 주셨어. 대학병원 응급실에 무작정 대기할 때 어떻게 알고 찾아와 주신 그 분 지금 생각하니 두 분 다 정말 고맙고 감사했다. 집사람이 어머님 살아생전에 부처님 전에 갈 때 따라 다니더니 언제부터인가 불교대학에 입문하여 10여년 공부하고 기도하더니 어머님이 물려준 그 공, 집사람이 그 공 잘 간직한 공으로 내 어려울 때 부처님이 그분들을 보내신 것 아니었나를 생각하면서 퇴원하자마자 난 이제 덤으로 사는 삶이라 생각하고 잘 살아야겠다고 내가 성실하고 정직하게 사는 것이 나를 도와준 모든 분들에게 은공을 갚는 길이라 생각하고 집사람과 같이 부모님 산소에 가서 인사하고 왔다. 나중에 안 일이지만 집사람은 어머님 물려준 뜻에 따라 불교대학 공부하면서 기회가 날 때마다 적게나마 대중공양을 하면서 가족의 건강을 발원하였다 했다. 이 모든 고마움을 감사하는 마음으로 이 글을 적었다.

5부 추억 속으로

처음이자 마지막이었던 노동현장

취업시험 합격해 임용 후보등록을 한 것이 10월 말이었는데 그간 매일 먹은 막걸리 값은 못 갚아도 발령 나면 내 손으로 벌어 취업 출발비용을 해결하는 방법을 찾아야 했다. 때 마침 80년도 그 해에는 지난 해 이상기온으로 인한 벼농사 냉해 피해 지원 사업으로 전국 곳곳의 농촌마을에 정부지원 사업현장이 진행되었는데 우리 마을에도 조그마한 저수지 제당 보수 사업현장이 있었다.

가을걷이가 마무리되고 농한기 일손이 많은 시기를 맞춰 저수지 제당공사가 12월에 시작되어 진행되고 있었는데 가느냐? 마느냐 고심하다 12월 중순인가 참여한 거야. 그때 동네 여러 어르신들과 아저씨들이 나의 속마음을 모르시고 야야 젊은 너는 이런 일은 하는 것이 아니다 하면서 참아라하는 말들을 하셨다. 물론 어머님, 아버님도 나의 속마음을 모르시고 말리셨다.

나는 몇 일간을 참석했는데 노동현장은 오직 인력만으로 삽과 곡괭이로 흙을 파고 제당으로 나르는 작업이었다. 아니 그 노동현장도 불과 3일인가 며칠 만에 나는 떠나야만 했다. 그 노동이 나에겐 처음이자 마지막이 된 노동체험이었다. 물론 취업 출발 비용에 보탬이 될 수는 없었지만 그 노동은 지금도 참 의미 있는 일이었다.

나의 고향집

나는 시골 평범한 집에서 태어나 큰 어려움 없이 성장한 나의 고향집은 아직도 그대로이다.

아주 어릴 적에 초가집이었는데 언젠가 초가를 벗기고 기와지붕으로 개조했어. 그 후 사랑채는 새마을운동 한창일 때 스레트 지붕으로 개조되었어. 집 모퉁이는 모란꽃밭과 울밑 모란꽃이 집을 둘러싸고 있었다.

집 모퉁이 모란꽃밭은 채소밭으로 바뀌었지만 아직도 울밑 모란나무는 봄이 되면 화려하게 핀다. 동네에서 모란꽃을 갖고 있는 집이 몇 집 있었지만 우리 집이 가장 많았다. 지금은 고향마을에서 우리 집 뿐이다. 주인이 바뀌고 또 주택개량 하면서 꽃나무 종류가 바뀐 거야. 그러나 나의 고향집은 어머님, 아버님 돌아가셨지만 아직 관리하고 있기 때문이다.

큰 채 기와지붕은 다시 아연함석판으로 개체한지도 20년이 넘었어. 아버님께서 1921년생이신데 18세 때인가에 결혼하시면서 살림난 집이라 하셨다. 큰 채는 대장상으로는 1947년 건축물로 등재되었다. 추정하건데 해방 이전에 지은 집들 대부분이 해방 후 일괄등재 되지 않았나 싶다. 어쨌든 단순한 집이지만 100년을 넘보는 집이 되었다.

우리 형제를 그리고 나를 성장시켜 사회로 내보낸 산실이다.

어릴 적이나 지금이나 변함없이 그 자리를 지키고 있다.

요즘도 가끔 가서 청소하고 차 한 잔 끓여 마실 때마다 언제 정리하게 되면 많이 섭섭할 것 같아 정이 더 간다. 매년 모란 꽃 필 때면 사진을 찍어둔다.

2023년 4월 고향집

울밑 모란꽃

한 세기를 말없이 지키고 있는 모란꽃
봄이면 봄바람을 안고 말없이
아름다움으로 향기를 담아 피어난다.

모란꽃은 시간을 초월하여,
고향의 집을 무심히 보호하며 자리를 지킨다.
여름 불빛태양도 가을의 찬바람이 지나가도,
겨울내 눈과 서리를 견디며 고향 집을 지킨다.
말없이 우리 집을 곁에서 지켜온 곱디고운 친구다.

2023년 4월　모란꽃(소장용)

책보자기

날마다 메고 가는 책보자기
어머님이 챙겨 주셨다.
도시락, 책, 필통, 크레용
연필과 크레용은
항상 몽땅 연필이고 몽땅 크레용.

책보자기는 매일 깨끗하지만
책보자기 안에 책은 네 모퉁이가
도시락 국물로 물들여진 교과서
나의 꿈과 희망이 담겨 있었네.

책보자기 메고 걸어가는
학교 가는 돌 자갈 십리길
매일 새로운 것과 동무들을 만나러 가는 길
언제나 즐거웠네.

책보자기는
나의 어린 시절의 추억이네.
책보자기는
나의 꿈을 키워준
소중한 보물이고 친구였네.

영빈관에서 오찬

2008년 연말 지역경제업무유공으로 갑작스런 청와대 초청으로 전국 지방자치단체 중 33개 지자체 경제업무 담당자들이 부부동반으로 영빈관에서 대통령이 직접 포상하고 이어지는 오찬까지 하루를 보냈다. 오찬 후 청와대 뜰이랑 뒤편 정원까지 구경하는 영광을 누렸다 지자체 공무원을 청와대로 초청 직접 포상한 일이 처음이란 것이었다.

아쉬움도 있었다.

영빈관 입장 시 전화기를 입구 보관대에 맞기고 입장했기에 공식 사진 촬영 외는 양빈관 내에서는 찍을 수가 없음이었다. 영빈관을 나와서는 마음대로 사진을 찍고 돌아다닐 수 있었다. 간혹 안내원과 경호원들이 사진 찍기 좋은 장소도 알려주곤 했다. 2008년 한 해 마무리는 뜻있게 보냈다.

2008년 12월 정부포상수여 영빈관에서

정년

어느덧 봄이 지나 겨울이 되니
젊음을 직장에 바친
나의 꽃도 이제는 지고 있네.

처음 입사했을 때는
풋풋한 새싹처럼
어리숙하고 서툴렀지만

세월이 흐르고
숱한 풍파를 겪으며
직장 최고의 꽃으로 피었네.

어려운 시기에도
항상 묵묵히 견뎌내며
시민을 위해 헌신했네.

내 인생의 한 챕터를 마감하는
이 순간이 아쉽지만
새로운 시작을 위해 희망찬 마음으로

사랑합니다

Best of
luck
to you!
한국조폐공사 제조

▌저자 소개

안영수(安永壽)

1960년 경산 출생

2004년 한국방송통신대학 행정학사
2016년 한국복지사이버대학 다문화복지전문학사

1980.12 지방공무원근무
2019.12 명예퇴직(지방부이사관)

1989.12 경상북도지사표창
1995.11 내무부장관표창
2004. 6 국무총리상
2008.12 대통령표창
2020. 6 홍조근정훈장

사회복지사
명리사
풍수인테리어지도사
노인자서전지도사
실버체육지도사
실버레크레이션지도사

제2부

한숨 따스한 바람 잠시 머물다

저자 설민자

차　례

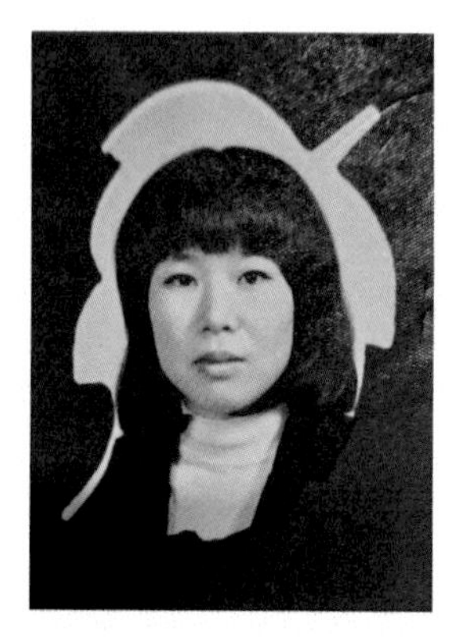

20대 나의 모습

60대 나의 모습

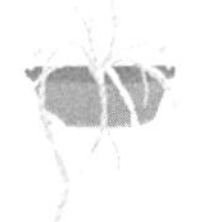

내 나이 칠십, 어떤 삶이 남아 있을까?

내 나이 칠십, 어떤 삶이 남아 있을까?
미소가 지어지고, 시간이 가는 줄 모르게 몰입할 수 있는 일은 무엇일까?

낡은 시계 소리가 내 귀에 맴돌 때,
나는 삶의 새로운 나를 찾고 있어.
미소 지을 수 있는 순간들이 더 귀하게 느껴져,
가벼운 걸음으로 삶을 즐기려 노력하는 중.

시간이 흘러도 느린 걸음으로,
나만의 세계에서 찾은 즐거움.
그림을 그리며, 글을 쓰며,
나만의 작은 세상을 만들어가는 나.

미래에 대한 두려움보다는,
소소한 행복을 찾아 나아가는 중.
나의 시간을 소중히 여기며,
계속해서 남은 삶을 찾아가려 한다.

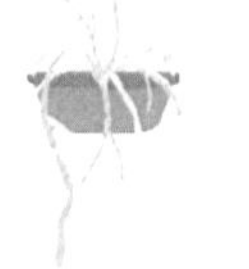

자유롭게 날아갈 그 날을 위해.

한때 미운 오리 새끼였던 나,
어린 시절의 날들은 참 힘들었어.
외로움 속에서 헤매던 나,
어둠에 떨고 있는 나의 모습.

아픔과 고통이 깊게 파고든,
작은 심장이 뛰던 시절,
꿈의 나라로 날아가고 싶어도,
낯선 길 두려움에 휩싸여....

하지만 세월은 미소로 나를 감싸주었고,
추억의 강을 건너 나의 날개는 자라나.
미운 오리 새끼의 운명은 변해가고,
지금의 나는 더 이상 외로운 존재가 아니야.

어린 시절의 미운 오리 새끼가,
지금의 나로 새롭게 태어났어.
언젠가 꿈에 그리던 하늘로,

자유롭게 날아갈 그 날을 위해.

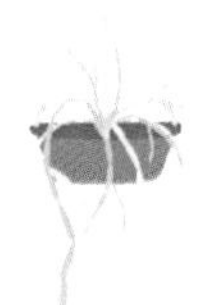

알음에 대한 탐험

칠십을 마주하는 나이,
세월의 무게가 짓누르더라도,
나는 배우고 싶다는 욕망이 살아있어.

과거의 아픔과 어려움에 가려진, 알음의 욕망
무한한 가능성을 향한 염원이 불타오르네.
세상은 넓고 새로운 지식은 끝없이 펼쳐져,
나의 마음도 끝없이 탐험하고자 하는 욕망이 울려 퍼진다.

세월은 배움이라는 보배를 안겨 주었고,
나는 지금, 그 보배를 받아들여
새로운 세계에 나를 맡기고 싶다.

아직은 늦지 않았어, 나의 마음이 외치듯,
새로운 배움의 문을 열고,
또 다른 나를 발견하고 싶다.

오늘이 지금 나의 출발점이며,
지식의 나무 아래 햇볕을 받으며,
나는 새로운 세상과 함께 할 것이다.

책 보따리 허리춤에 메고 노닐던 소중한 친구들

이십 리 길의 시골 길을 걸어서 다녔던 국민학교 ,
호롱불 켜놓고 숙제하며 지세웠던 날들
비가 내리거나 눈이 내리거나 몸으로 다 맞으며 ,
그 순간을 함께 나눴던 국민학교의 코 흘리게 친구들.

여자 친구들은 책보따리 허리춤에 메고
남자 친구들은 어깨에 책보따리 메고,
우리는 하나 된 마음으로 걸어가며,
꿈을 키우고 성장했던 그 시절.

호롱불 아래서 공부하던 시절이 있었기에,
우리의 꿈을 더 빛나게 만들었지.
비바람에 맞서고 눈보라에 맞서도,
우리는 언제나 함께였던 소중한 친구들

그 시절의 우리, 어린 마음이 품은 추억들,
책과 함께한 그 길 위에서 쌓인 소중한 날들.
지금은 그때를 회상하며 웃음 짓고,
국민학교의 소중한 기억을 간직하고 있어.

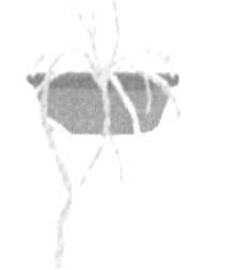

가을운동회에서 바람처럼 날아다닌 추억

가을 운동회는 참 행복했어.
시골 운동회는 온 마을들이 하나 되어
웃음과 즐거움이 넘쳤던 특별한 잔치였다.

달리기를 유달리 잘했던, 나는
마치 바람과 같이 달렸지
운동회가 끝나면 노트 한 아름이,
나의 자랑스러운 수확이었지.

햇살 가득한 운동장에서, 엄마들이 준비해온
떡이랑 감 고구마 등등 맛나게 먹고
친구들과 함께 뛰고 놀며
가을 하늘을 수놓은 순간들.
즐거움과 기쁨. 행복이 함께 ....,
그 순간들은 언제까지나 잊지 못할 소중한 추억.

운동회의 끝은 마을 대표들이 나와서
동네별로 달리기 계주 운동회의 하이라이트 모두 하나 되어
꽹과리 장구 북소리에 응원가는
가을 하늘에 메아리 쳤다
모두 모여 흥겹게 떠들며 춤추던 기억.
그 시절 가을 운동회 감동은
나에게 소중한 한편의 영화였다

나의 사랑하는 아이들아

나의 사랑하는 아이들아,
이것만은 꼭 명심하고 살아가길.

인생의 여정에서 누구랑도 비교하지 말기,
각자의 길을 찾아가며 자신의 길을 찾아가길.

남이 나를 알아주기를 바라지 말기,
내 안의 아름다움을 자신만의 빛으로 간직하길.

거짓말을 하지 말기,
솔직하고 순수한 마음으로 살아가기.

세상은 다양하고 아름다운 무지개 색으로 수 놓여 있어,
너희 각자의 삶을 풍요롭게 만들어 나가길.

마음에 수놓은 이 조언을,
인생의 동반자로 삼아 아름다운 삶을 가꾸길 바란다.

칠순을 축하드리

이제야 깨닫게 되었다.

부모는 아이를 낳고 키우지만,
아이는 부모를 자라게 한다.

부모가 누군가에게 아이였고,
아이는 자라서 누군가에게 부모가 될 것이다.

나는 나이 칠십이 되어서야 깨닫게 되었다.
부모가 키워야 할 것은 아이 뿐만 아니라,
스스로의 인격도 함께 키워야 한다는 것을 이제야 깨닫게 되었다.

우리는 끊임없이 성장하고,
나누어 가며 삶을 이어가지만,
스스로를 이해하고 바른 길로 인도할 때,
진정한 인격이 완성 되어 간다.

아이가 부모를 키우고,
부모가 아이에게 배우듯,
우리는 함께 성장하며
삶의 그림자에 더 많은 빛을 발할 수 있게 된다.

기쁨과 행복은 지키는 것이...

기쁨과 행복,
잊지 않는 것이 중요한 게 아니라,
지키는 것이 중요하지요.

머무는 순간을 소중히 여기고,
순간순간을 마음에 간직하고 살아가면,
기쁨과 행복은
언제나 함께 할 거예요.

잊지 않고 지키는 마음으로,
삶의 작은 기쁨과 큰 행복을 품에 안아가며,
우리는 더 풍요로운 삶을 쌓아갈 수 있어요

나는 현재 진행 중

오늘이란
너무 평범한 날이지만,
과거와 미래를 잇는 가장 소중한 시간.

오늘이란
시간의 흐름이 느린 듯 빠른 듯,
과거의 추억과 미래의 꿈이 만나는 곳.

오늘이란
그림자처럼 미묘한 순간,
오늘을 향한 과거의 발자취와
내일로 이어지는 미래의 준비.

평범한 오늘이지만,
그 안에는 끊임없는 연결고리가 있다.
과거의 날들이 여기 오늘에 피어나고,
미래의 꿈이 오늘을 더 풍성하게 만든다.

현재는 진행 중

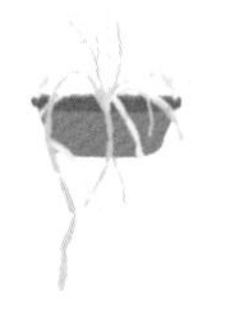

나만의 작은 세상

내 나이 칠십, 어떤 소중함을 찾아볼까?
미소가 지어지고, 시간이 가는 줄 모르게 몰입할 수 있는 일은
무엇일까?

낡은 시계의 소리가 내 귀에 맴돌 때,
나는 삶의 새로운 의미를 찾고 있어.
미소 지을 수 있는 순간들이 어디에
가벼운 걸음으로 삶을 의미를 찾으려 노력하는 중.

빠른 시간에도 느린 걸음으로,
당신의 세계에서 찾은 나만의 세상을
그림을 그리며, 책을 보며 글을 쓰고,
나의 작은 세상을 만들어가는 나.

미래에 대한 두려움보다
오늘에 대한 의미를 찾아 나아가는 중.
지금, 나의 시간을 소중히 여기며,
계속해서 나를 찾아가는 중...

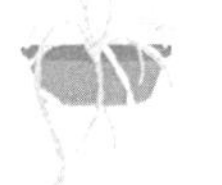

우리 각자의 이야기를 쓰며

살아있는 사람은 누구나 이 순간을 산다.
우리들은 똑같이 오늘 하루만을 살아갈 따름이다.

다른 건 몰라도, 시간만큼은 모두에게 공평하다.
주어진 시간을 살아가는 것, 딱 그 만큼의 삶이다.

시계 바늘이 모두에게 똑같은 흐름으로 흘러가듯,
우리의 인생도 흘러간다.

그렇기에 우리는 오늘을 소중히 여기며,
살아가야 할 때다.

시간은 흘러가지만, 우리의 기억에 남는 것은
이 순간의 감동과 희로애락이다.

공평한 시간 속에서 우리는 각자의 이야기를 쓰며,
하루하루를 소중히 살아가는 것이 삶이다.

태어나서 죽을 때까지,

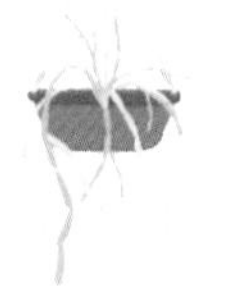

자유

타인의 시선
타인의 평가에 나를
내 맡기지 말자.

내 마음부터 따뜻하게 달래주고
품어주며
삶의 본질만 보고 살아가자

그 다짐이 염색을 하지 않는 실천으로 표현했다.

있는 그대로의 나는 받아들이면
편안함이 있다

자유, 이것이 진정한 나의 자유

책장 너머 수많은 이야기, 또 다른 세상

어린 아이가 엄마 품에 안겨서
자연스럽게 자라듯이,

나는 책과 함께 성장하고
지혜로움에 뿌리를 든든히 만들어 간다..

책과의 만남이 마치 아이의 옹알이처럼,
시작되어 내 안의 세계를 풍요롭게 만들어 간다.

책 속에 수 많은 이야기들.
내가 모르는 또 다른 세상, 저마다의 사연과 경험들,
그 속에서 삶의 교훈. 지혜를 얻어
가슴 속에 향기처럼. 자라는 내 삶의 인문학.

나는 인문학 세계에서 성장하는
지혜로운 삶을 꿈꾸어 본다.

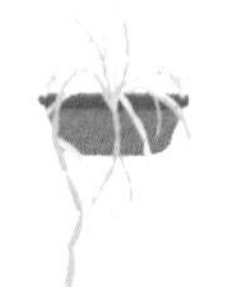

인생, 끝과 시작의 연속

인생이란 끝없는 여행이다.

무엇이 더 나은 인생인가?
그것은 나 자신에게 묻는 숙제.
행복의 기준, 내 안에서 답을 찾자.

어떻게 살아야 잘 사는 인생인가?
마음을 열어 세상을 이해하며,
자유롭게 꿈을 키워가며 살자.

때로는 꽃길, 때로는 가시길,
인생의 모든 순간을 감사하며 살자

사람이란 존재의 아름다움을,
인생이란 무한한 가능성을 향해
함께 걷는 여정, 그 자체가 인생이다.

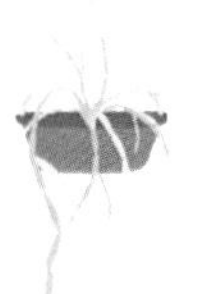

진정한 자유

자유로움
사람은 누구나 자기 자신으로,
존재하지 않으면 안된다.

홀로 존재하는 본질적인 사실,
그 속에서 찾아야 하는 건 자신뿐.

최초의 순간에도,
우리는 나만의 길을 찾아가네.

우리는 하나의 존재로,
세상과 소통하고 나 를 찾았을 때,
진정한 자유를 만나게 된다.

자유의 시작, 나만의 삶,
우리는 그 속에서 삶의 자유로움을 찾아가리.

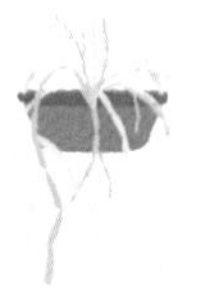

성찰

우리는 고민할 수밖에 없다.
시간은 흘러가고, 삶은 변화한다.

시간을 거스를 수 있는 사람이 누가 있을까?

하지만 우리는 그 과정에서
시간을 소중히 여기며 살아가야 한다.

고민하고 성찰하고 깊이 생각하면서,
이 순간의 가치를 알아가는 것이
우리의 삶을 더 풍요롭게 만들 수 있을 것이다.

죽음 앞에 서서 돌이킬 수 없는
시간을 돌아보면, 우리가 살아온 흔적,
그 안에 소중한 순간들이 가득할 것이다.

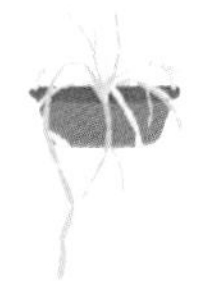

눈부신 노년

지금 나는 진정으로 내 삶의 주인공이다.

소파에 누워 기운 없이 리모컨만
돌리는 삶이 아닌
마음만 먹으면 무엇이든 할 수 있는
노년의 시간이다.

심신이 건강하기만 하다면
인생의 가장 찬란한 때가 바로 노년이다.

원한다면 가만히 앉아
하루 종일 햇살도 볼 수 있으니
인생의 햇살이 눈부시지 않은가?

누가 노년을 여생이라 부르며
노년을 무료한 이미지로 떠올리게 만들었을까?
나는 지금 인생의 가장 찬란한 때인 노년을
마음껏 여유롭게 즐기고 있다.

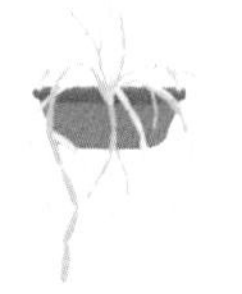

삶

조금씩 비울수록 편안해지는 것

나, 자신이 명품이 되면 된다고 생각한다.

나만의 색깔을 갖고 자유롭게 사는 삶

타인과 평화롭게 공존하며 사는 삶.

그런 삶이 맛깔스러운 삶 아닐까?

내가 지향하는 삶이다.

조촐한 삶

자연의 냄새가 나는 삶

단순하되 맵시 있는 삶

나는 이런 삶을 살고 싶다.

자연의 순환

아름다운 노년은 깊은 희망의 빛,
축적된 경험이 꽃을 피우는 때.

마음의 여유와 풍요로움,
아름다운 노년은 성숙의 증거.

죽음이 기다리는 노년,
죽음은 새로운 시작의 문.

자연의 순환 속에서 삶과 죽음,
하나의 이야기, 끝과 시작의 연속.

아름다운 노년과 죽음은,
우리의 삶에 채워진 뜻깊은 길이다.

마지막 순간까지 아름다운 미소,
우리는 삶과 죽음을 함께하며
그 깊은 의미를 마주할 것이다

길 위에서 물들인 순간들, 나만의 길을 찾다.

저 자 안영수, 설민자

발 행 2024년 04월 26일
펴낸이 한건희
펴낸곳 주식회사 부크크
출판사등록 2014.07.15.(제2014-16호)
주 소 서울특별시 금천구 가산디지털1로 119 SK트윈타워 A동 305호
전 화 1670-8316
이메일 info@bookk.co.kr

ISBN 979-11-410-8208-6

www.bookk.co.kr